QLIPHOTH

DISEÑO DE INTERIOR Y TAPA: ISABEL RODRIGUÉ

PEDRO ÁNGEL PALOU

QLIPHOTH

EDITORIAL SUDAMERICANA
BUENOS AIRES

IMPRESO EN LA ARGENTINA

Queda hecho el depósito
que previene la ley 11.723.
© *2003, Editorial Sudamericana S.A.*®
Humberto I 531, Buenos Aires.

www.edsudamericana.com.ar

ISBN 950-07-2373-5

© Pedro Ángel Palou 2002

"Sólo hay un templo en el Universo, dice el devoto Novalis, y es el cuerpo humano. Nada es más sagrado que esta forma elevada. Tocamos el cielo cuando depositamos nuestra mano en él."

THOMAS CARLYLE,
El héroe como divinidad

Nada hay más espantoso que un cuerpo muerto.

A

Una temporada en el purgatorio

1

Todas las noches es igual. Él se sienta a escribir hasta muy tarde. Nada queda al amanecer. Todo permanece al ocultarse el sol. Monótono y al parecer irremediable, el tiempo pasa sin detenerse. Tal vez es ahí donde comienza la historia.

Se llama Mónica. Es preferible recordarla por su nombre. Él la piensa y la dibuja con palabras. Luego, nada. Salvo muchas horas frente al infierno de esa página antes blanca.

La ciudad es casi silenciosa en esa zona; si acaso algún automóvil que pasa de vez en cuando y, en esta época del año, el acompasado sonido de los sapos. Llueve, pero tampoco mucho. El mundo se obstina por ser común y corriente. No pasa nada. En medio de toda esta quietud el hombre parece ser el único que se mueve. Aunque nada nos permite asegurarlo.

Con poco que nos asomemos nos será posible ver la insignificante cuerda con la que ese hombre se sostiene arriba del abismo. Luego, ya con la mañana encima, quizá nos fuera fácil mirarlo apagar la luz —innecesaria a causa del sol colándose en la recámara— y recostarse a dormir. ¿Qué espera? ¿Qué busca?

Imaginarlo así sería factible si no tuviera un fuerte grado de falsedad. La vida de los hombres, a pesar de repetirse, no puede generalizarse. Es necesario llegar más adentro, seguir los pasos, palpar el peso del cuerpo mientras camina y sentir que un día se acumula junto a muchos otros más.

La importancia de los gestos —de la repetición— radica en que develan la realidad y la vida interior. La vida cotidiana es la gran materia de los mentirosos, de los novelistas.

Intentémoslo así, entonces. El hombre —Andrés— está sentado escribiendo. Es noche. Se oyen pocos ruidos. Piensa en Mónica y se recuerda tocándola, sintiendo su cuerpo en el suyo. Todo el placer, todo el dolor también. Pero no es real, es memoria y Andrés no soporta la punzada de este recuerdo. Entonces la escribe. No le queda más remedio. La inventa teniéndola, se transforma siendo poseído. Sus dedos avanzan por las teclas como antes lo hicieron por el cuerpo; se detiene cuando se ve a sí mismo tocando el ombligo de Mónica y luego metiendo su lengua ahí./Sintiendo su cuerpo, como antes sus ojos mirándola: era una mirada pero anticipaba todo. Incluso eso último que empezó cuando se puso a desabotonarle la blusa dejándola desnuda. ¿Pero no estaba más desnuda debajo de la tela, con sus pechos duros transparentándose? La desnudez total no siempre es misteriosa. Mónica se sintió indefensa y Andrés lo supo, por eso cuando se acercó ella lo atrajo hacia sí, como si la cercanía pudiera borrar el miedo. ¿De qué?, escribe Andrés ahora, seis años después en medio del silencio de la noche y arriba del abismo. En ese entonces no contestó. Era suficiente con sentir el miedo y con rechazarlo aceptando la cercanía de Mónica. Desde el principio de la noche Andrés lo sabía, no sólo por su mirada; Mónica quería que la usara, deseaba ser poseída. "Soy tu objeto, vengo a que me cojas", había dicho. Y Andrés no estaba seguro de haberlo oído. No sólo por lo que implicaba sino por la forma en que lo oyó decir. Después se acostumbraría a estas frases de Mónica. En ese momento no supo contestar. Ella en cambio, después de un silencio agobiante, sí. "Es hermoso no tener nada que decir", la oyó. "Es horrible no poder decir algo", pudo contestarle por fin Andrés. Volvieron a quedarse callados. Ella se asomó por la ventana y regresó al sillón. Él la miraba lejana y no podía tocarla. No se atrevía. "Desnúdame", escuchó que le decía. Cuando terminó de desabrocharle la blusa y la vio indefensa, miedosa, lejana ya de esa seguridad de antes, no pudo hacer otra cosa que dejarse llevar por el deseo.

Pero ahora la escribe, ahora que no hay nada, salvo el conocimiento. ¿Es posible conocer?, escribe. Tal vez no. Tal vez es sólo la ilusión de que el poseer un cuerpo te lleve a la verdad interior de su dueño. ¿Pero existe una verdad, o el problema se agrava y no es posible siquiera autoconocernos? No sabe siquiera a qué respondió esa primera noche. No está seguro de que lo haya hecho por ella, ni por él. Ahora es nadie. No está. Pero es peor. Tampoco se ha ido. Se encuentra ahí, en el recuerdo y a la vez es imposible que esté, ni aun en la memoria. Andrés toma un vaso y lo llena de vino. Bebe un trago largo. Alza sus anteojos introduciendo un dedo entre el puente y la nariz. Presiona la piel para aliviar el cansancio. De todos modos no puede detenerse, así que la escribe.

Cuando el miedo empezaba a desvanecerse y la piel era toda su seguridad, Andrés le dio un beso largo en la boca mientras sus dedos sentían la humedad de otros labios y ella le tocaba las nalgas. Casi sin dejar de besarla un dedo fue entrando en Mónica y ella se quejó, cuando Andrés le decía qué bella eres y se daba cuenta de que el placer transforma en más hermosos los rostros. "Ven mejor, ven tú." Él la obedeció al instante y fue sintiéndose cada vez más adentro, hasta una profundidad que antes no existía, como si todo él estuviera adentro y no hubiera nada en el exterior. Ella lo devoraba, sus labios carnosos pegados a su boca y sus manos aferradas a su espalda, clavándole las uñas, y su vulva abierta y sus ojos abiertos como él los quería, viéndole. La piel de ella ardía. "Me asoleé mucho en la mañana", le había explicado antes. Luego, él quedó boca arriba y la obligó a sentarse sobre sí, con los muslos abiertos y colocados al lado de sus piernas; sin dejar de moverse introdujo su pene y tomándola por los hombros la empujó hacia abajo, entrando aún más mientras ella gritaba y decía sí, sí, afirmándolo todo. Terminaron casi juntos, él sintiendo el orgasmo de Mónica y viniéndose poco después, los dos en medio de gritos y gemidos. Ella le pidió que se quedara adentro y permaneció mirándolo.

¿Qué hay en una mirada? Además de

una cínica y pervertida obsesión por encontrar *al* otro, *lo* otro que miramos, un anhelo de seguridad. Cuando observamos a otra persona, sigue escribiendo Andrés, estamos viéndonos en ella.

Todo lo anterior es una buena tentativa de aproximarnos a ese hombre –o de aproximarnos al deseo, a través de *ese* hombre–, pero nosotros también estamos usando la mirada, queremos ver qué hay detrás, observar sus movimientos, ir detectando el más imprevisible movimiento que lo delate, develándonoslo. Y ésa es una *cínica y pervertida obsesión*, como escribe Andrés. Pero a través de la mirada podemos creer que percibimos el mundo, es nuestra única arma para acercarnos al abismo y ver bajar por esa insegura cuerda a Andrés. Nadie sabe qué pasa cuando se llega al fondo, y nada nos permite saber a ciencia cierta si la cuerda seguirá sirviendo para volver a subir.

El deseo sí puede verse; podemos olerlo, tocar sus texturas, oír sus pasos y verlo sentarse junto a los cuerpos. El deseo sí puede olerse; podemos gustarlo, rozar sus pliegues y sentirlo posarse sobre la piel. El deseo no es la contraparte sino un aliado de la imposibilidad; salvo él todo lo demás es falso.

En poco tiempo ya estaba de nuevo fuerte dentro de Mónica y la sintió subir y bajar por su pene con la vulva abierta mientras él la dejaba hacer. Su erección era casi insensible y él lo notaba. Puestos de lado, ella llegó dos veces. Luego la volteó y se lo introdujo por detrás aunque ella gritaba y le pedía que no lo hiciera. Nada hay como sentirla abriéndose, como tocar el infinito rotando clavado en ella. Ella intentó salirse, Andrés la jaló del cabello tirándoselo con fuerza, luego la sintió venirse de nuevo y salió de ella. No es tan fácil soportar el vacío y Mónica volvió a sentarse sobre Andrés que seguía fuerte y ya con él dentro acercaron sus bocas y en medio de ese beso él la sintió que llegaba abrazándose a ella y creyendo que había podido tenerla, que era suya, o por lo menos *había sido* suya.

Apaga la lamparilla un momento. No

piensa levantarse pero necesita descansar la vista y junto con sus ojos que repose todo lo que ha estado moviendo ahí dentro. Nadie puede exprimirse recuerdos y pretender que la vida siga igual; cuando alguien se examina de este modo corre el riesgo de romper la cuerda y de precipitarse al vacío; sin embargo el recuerdo es la única ¿piedad? contra la ausencia y su peso de plomo. Si el hombre no pudiera recordar no podría percibir absolutamente nada. Vuelve a prender la luz. A pesar de las pocas cosas hay un gran desorden en el cuarto. Una foto de Bataille. Dos cuadros con paisajes. Algunos libros por el suelo. Una mesa azul con lámpara, una máquina de escribir y una pila de hojas blancas. También una botella de vino y un vaso. La silla de madera en la que está sentado es rústica y el respaldo fue tejido con paja. Nada de la austeridad del lugar nos es ajeno: aunque toda la otra parte de la casa está decorada ostentosamente, el único sitio en el que la historia es verosímil es éste, con tan pocas cosas y las paredes amarillas casi vacías. Se está solo en un lugar así. Se está solo siempre, escribe Andrés.

El cuerpo también puede ser una ausencia. Mónica y él, tendidos, sin decirse nada, cada uno encerrado en sí mismo, destruyendo la posibilidad de cualquier posesión, vindicando la retardada agonía de la ausencia, del vacío. Y el cuerpo aparece también como la constancia de esa imposibilidad. Ninguno atreve un movimiento siquiera; los aplasta el miedo de no estar ahí, de ser pura esencia (¿es algo la esencia?), de no sentirse ni siquiera en la mirada del otro que corrobora nuestro ser. El silencio devora la cordura. Mónica al fin se voltea y se queda dormida. En el sueño él no puede tenerla. ¿Puede tenerla de algún modo?, se preguntó Andrés mientras desesperado caminaba por su cuarto, sintiéndolo absurdamente lejano.

Desde la primera línea de la historia ya sabemos qué va a ocurrir. No bien cruzamos la primera mirada estamos seguros de lo que seguirá, sin embargo el novelista logra mantenernos ahí, atentos —igual que el deseo—; haciéndonos creer que va a ocurrir otra cosa, que es posible otra forma de entretejer los hilos. Nuestro inconsciente juega haciéndonos creer que puede pasar algo. Sin esas trampas nadie leería historias, ni amaría a otras personas. En el sueño, a veces, sí suceden otras cosas, otras cosas que no podemos saber, escribe Andrés pensando en Mónica dormida en su cama y él dando vueltas por el cuarto, asomándose a la ventana como ella, sentándose en el sillón como ella, viéndose en el espejo e intentando sonreír como ella sin conseguirlo y preguntándose quién es ella, aunque la misma Mónica lo ignore. Le da miedo su desnudez y se viste, dejándola en la cama en tanto se prepara un café. Tiene ganas de hablar, de saber qué piensa, pero un respeto absurdo le impide interrumpir su sueño.

Si no es posible la posesión, escribe Andrés seis años más tarde, entonces por qué el hombre se afana en comunicarse, en obtener todos los datos posibles acerca de los demás, de encontrarse en ellos y desencontrarse también. De dónde salía este impulso de despertar a Mónica y hablar con ella, ¿para qué? Se levanta, trae de algún lado una grabadora portátil y se coloca los audífonos. Aprieta una tecla y sus oídos se llenan con un clavicordio tocando a Bach. El sonido lo aísla aún más. Escribe otras líneas, se ríe sin poder oírse escuchando sólo la música y algo lo detiene. Pasan varios minutos y nada se mueve. Cierra los ojos. ¿Oye? ¿Recuerda?

No puede escuchar nada de lo que pasa afuera porque para eso ha puesto la música, pero tampoco la oye ya que le sirve como vehículo para no estar afuera. El recuerdo es el *dentro*. Se sentó en el sillón donde antes había estado Mónica; tomando café él se entretenía e intentando desviar la mirada del cuerpo desnudo de Mónica pero regresando una y otra vez a él, recorriéndolo, tratando de conocerlo y conocerse en él, aún a sabiendas de que estaba lejos, entregado al sueño. Un cuerpo que tal vez estaría soñando con otro cuerpo diferente al de Andrés. Así lo pensó con unos celos terribles. Pero ¿cómo poder sentir celos de una persona que apenas se conoce y con la que simplemente hizo el amor? "No sentía celos de Mónica, sino de no ser yo el único que pudiera poseerla, de que otros ya antes hubieran estado allí", escribe ahora Andrés, "volviéndolo a pensar. Viéndola me di cuenta de que era bellísima y de que la deseaba verdaderamente. No sabía que ésta era la única forma en que acabaría teniéndola, como si al escribirla pudiera hacerla real, corporizarla. Qué es un cuerpo qué es un cuerpo qué es un cuerpo..."

Andrés no puede más. Está cansado, agobiado por la experiencia del recuerdo. Pensar en uno mismo desbarata. Nunca imaginó que al sentarse a escribir y evocar su vida con Mónica estuviera entrando de nuevo a lo desconocido. Y aunque el hombre siente un gran miedo hacia lo que no conoce, ésta no es la verdadera razón de sus males, sino la *repetición de lo vivido*. Entre el alivio del miedo a recordar algo que ya conoce y el miedo de entrar a algo que se desconoce, se encuentra Andrés. Ya no es noche. La luz entra por todos lados aunque él quizá no lo percibe y conserva su lámpara encendida. Acomoda las hojas que ha escrito y las guarda en una carpeta. Se levanta y estira el cuerpo sintiendo cómo se acomodan algunos músculos. Bosteza. Ve la mañana entrando por su cuarto y apaga la música. Bebe un poco más de vino y ya sin más fuerza se acuesta a dormir.

¿Quién sabe qué pasa en el sueño?

2

Otra noche. No una más sino la siguiente. Andrés quiere recordar, desea tener a Mónica. Piensa. Escribe. Se ha puesto los audífonos y no puede escuchar los gritos afuera: una pareja peleándose. Si lograra oírlos, esa lucha despiadada de los amantes por anular al otro le sería insoportable, quizá por lo simbólica.

Mónica despertó a las tres horas y quiso encontrarse con el cuerpo de Andrés, palpando sólo una sábana fría. Al fin lo vio frente a ella. "No me mires así", dijo Mónica. Estaba incómoda: ¿cuánto tiempo llevaba ese hombre observándola, escrutando su alma, penetrando en su sueño? Andrés se sentó a su lado en la cama y se puso a acariciarle el pelo. Los dos sentían ganas de preguntarse muchas cosas. Ninguno decía nada. Estaba amaneciendo y la luz les molestaba a los ojos. "Estoy agotada." Andrés salió después de escucharla a prepararle algo de desayunar. Ella todavía cruzando del sueño a la vigilia se preguntó qué hacía ahí sintiendo un vacío terrible que impide moverse. Andrés entró con un jugo, café y huevos. Ella se sentó desnuda y él pudo contemplarla. Colocó la bandeja en sus muslos, que había cubierto con la sábana. Él se detuvo a contemplar su pantorrilla y no resistió tocarla. La mano sintió la piel creyendo tenerla, estar menos lejos por eso. Mónica comió sin prestar atención al deseo de Andrés, que se aventuraba más allá y entrando por el medio de las piernas tocó los vellos encrespados, suaves. Ella lanzó un grito de asombro cuando él introdujo sus dedos hasta el fondo. Luego Mónica apartó la bandeja acariciándole el pelo. Andrés recostó su cabeza en el muslo redondo y besó la vulva, separando los labios, buscándola. Intentó introducir su lengua y metió la punta saboreando la humedad de Mónica, aparentemente tan cerca, tan suya. Subió su lengua rodeando los labios, jugando con ellos, y Mónica comenzó a moverse como si lo tuviera dentro. Gimió. Imploró. Él tocó el clítoris y empezó a darle vueltas despacio, insoportablemente despacio. Diez, veinte veces. El dolor confundiéndose con el placer. Mónica echó la cabeza hacia atrás extendiendo su cabello negro por toda la almohada. Andrés subió las manos por la cintura y llegó a los pechos, sintiéndolos endurecerse. Tocó los pezones erectos. Su lengua en tanto aceleraba el ritmo de las vueltas. Cada vez era más rápido, y había más gritos y más súplicas y el cuarto empezaba a ser un solo lamento. Ella abrió las piernas y empezó a temblar y su cuerpo onduló el espacio, abriéndose, retorciéndose y oscilando en un placer que no parecía tener fin. Andrés la sintió agitarse y siguió dando vueltas. Mónica gozaba un orgasmo interminable y de su cuerpo brotaba sudor y brotaba esmegma y Andrés sentía ese líquido espeso llenándole la cara. Ella al fin, tras haber alcanzado los nueve puntos en la escala de

Richter, se quedó quieta. Había quedado inerte y floja. La oyó decirle: "Ven, por favor. Me siento perdida. Abrázame" y subió hasta estar a su altura, tomándola de los hombros y de la cintura la atrajo hacia sí, abrazándola muy fuerte, aunque no pudo resistir deslizarle la mano y encontrarse con sus nalgas. Besó sus labios y la acarició frenéticamente hasta que de nuevo ella estaba excitada y él dentro de ella, de lado con sus muslos como pinzas o tijeras de cuatro hojas. Esta vez fue peor. No se parecía nada al amor, era una sucesión violenta en la que los dos intentaban arrancarse algo, destrozarse. Ella llegó dos veces antes de que él pudiera sentirse lánguido de nuevo. Fue Andrés, entonces, el que se quedó dormido.

Ha pasado mucho tiempo. Él está despierto, escribiendo, aunque esto no es tan real. Hace horas que no escribe. Está frente a esa máquina, ha sacado y vuelto a meter tres hojas sin escribir siquiera una palabra. Las saca, arruga y tira. Pero esto también es falso; la última hoja que rompió yace en el suelo desde hace varios minutos. Él vuelve ahora sí a meter otra hoja. Tampoco escribe. Se halla inmóvil, la mirada se pierde frente a él, en una pared amarilla de la que no puede sacar nada. De cualquier forma no está de humor. Se siente débil, fastidiado.

No pasa nada. Apaga la grabadora y se quita los audífonos. Oye la noche, lo que equivale a decir que no oye nada: la noche es una respiración tristísima. Afuera tampoco parece haber algo. Está solo, mira hacia ningún lado. Luego se toma la cabeza entre las manos, apretándola, intentando desvanecer el dolor. Pero permanece, es una punzada intermitente que no lo deja estar. Hace unos remolinos con las sienes, la desesperación no cede. Nada la mitiga. Es el precio de la observación, quizá. Oye su corazón latir apresuradamente. Algo anda mal, cuando uno se oye y se siente el cuerpo que siempre está ahí inconscientemente. Un coche pasa afuera levantando el polvo y rechinando las llantas. El ruido lo molesta, le crispa los nervios ya de por sí a punto de saltar. Nada hay sino el daño que le produce la punzada en la cabeza. Se levanta y da vueltas en el cuarto. La desesperación comienza a ceder. El mundo empieza a recomponerse.

El despertar aquella vez fue lento, como si emergiera de una región muy profunda y lejana. Cuando al fin se sintió consciente y abrió los ojos, Mónica ya no estaba ahí. Aunque también a esto se acostumbraría, esa primera vez que se quedó solo, sin ninguna explicación de la huida, no supo qué hacer. Empezó a recopilar datos de su memoria: fechas, nombres, cosas que le permitieran recuperar a Mónica o al menos trazar las coordenadas de su ubicación. Primero: no sabía ni su dirección ni teléfono, era la segunda vez que la veía. Segundo: ni su apellido, para colmo. Tercero: la había conocido en una fiesta en casa de Fidel Correa, un promotor de rock ya viejo y bastante bien establecido. A esa casa lo había llevado otro amigo, Juan Madrid, dejándolo solo desde el principio. Cuarto: es infinita la serie de conexiones que tiende la casualidad para sus trampas. Quinto: salió demasiado borracho de la reunión como para pretender acordarse del lugar. Tenía entonces que hablarle a Juan y pedirle la dirección de Correa para, a su vez, preguntarle por Mónica. ¿Cuánto hablamos en esa fiesta?, se pregunta ahora Andrés, consciente de que el tiempo falseará su respuesta. Cree que poco. Bailaron, eso sí. Ella muy pegada, aferrándose como si lo conociera de toda la vida; él sobresaltado por los besos y las caricias, pero aturdido por el vino le respondió bastante bien. Luego, perdidos en los recovecos de la casa, no volvieron a verse. Ahora que lo piensa, Andrés ignora cómo supo ella su dirección, cómo llegó hasta él dos días después de la fiesta. Se levantó buscando una nota, alguna pista que lo guiara hacia Mónica.

Hoy vuelve a encontrarse ante esa situación absurda. Acaba de pasar la noche con una mujer que apenas conoce pero que, a juzgar por lo vivido, ha conocido bastante bien; sin embargo no hay nada, ni siquiera un objeto de ella —algo caído de la bolsa, un pelo— que la haga presente. Ni siquiera la calma huele a ella. Él vuelve a vivirlo ahora, seis años después, al recordarlo. Habló por teléfono al consultorio cancelando sus citas y salió rumbo al departamento de Juan Madrid, que no tenía teléfono. Eran más o menos las once de la mañana aunque Andrés tenía también trastocado el sentido del tiempo y no le importaba en lo más mínimo: no había nadie en casa de su amigo. Dejó una nota: "Olvidé algo en casa de Fidel Correa, ¿podrías hablarme y conseguirme su dirección o teléfono?". Y quizá era verdad, se dice ahora, tanto tiempo después. Olvidó que la vida es una sucesión lineal de cosas y entró a un tiempo cambiante, circular, con vueltas y zigzags. Entró y se quedó por tres años y medio que duró la relación con Mónica. Pero eso fue después. Luego de la búsqueda comió, muriéndose de hambre en un café sombrío y oscuro que se encontró en el camino, y deambuló por la ciudad hasta que la lluvia lo obligó a regresar. Todavía sonaba el teléfono cuando abrió la puerta, y corrió escaleras arriba para contestarlo. Era su amigo, que le dictó el teléfono y se prestó para ir por lo que había olvidado, si Andrés quería. "No. No te molestes", se oyó decir junto con otras frases de cortesía y justo después de colgar ya estaba marcando el nuevo número. Tardó media hora y doce llamadas a regulares intervalos para que le contestaran. Correa, según le dijo, conocía muy poco a la mujer que Andrés le describió, pero se acordaba de que era secretaria o algo de relaciones públicas en la editorial de José Luis, otro de los invitados a la fiesta. Ya era demasiado tarde para buscarla ahí, no le quedaba sino esperar hasta mañana para ponerse en contacto. Dijo gracias y colgó con descontento. Ésa fue la más solitaria y fría de sus noches, solo en esa casa que había alquilado en la ciudad cuando llegó a estudiar la maestría. Luego, un día descubrió que ya no podía salirse de ahí y la compró. Pero ahora estaba solo y las paredes no le devolvían nada, y la cama no le acercaba más a Mónica, que se volvía huidiza, lejana. El deseo pocas veces es algo, siempre más bien es nada, su signo está vacío, no tiene lugar, o sí: su lugar es la ausencia. Son esas falsas escapadas, esas huidas repentinas, esos desequilibrios provocados los que avivan el deseo. Lo curioso es que la presencia tampoco lo consume, tal vez porque sabemos que siempre hay un reverso de las cosas y nunca nos conformamos con la concretización –mínima, heroica, efímera– de nuestros sueños.

"La soledad me descompone", escribe ahora Andrés, recordando al escritor sueco: nada empequeñece tanto a un hombre como la conciencia de no ser amado: sigue tecleando, desesperado. Comparte ahora la prisa aquella en que quería apresar la imagen de Mónica, recuperarla, retenerla. Luego, poco a poco fue despidiéndose de estas cosas y dándose cuenta de que nada la podía hacer quedarse quieta, de que no pertenecía a nadie. "Tal vez no era nadie", pone Andrés en esa máquina y la página en blanco va llenándose de figuras negras que la habitan y la ocupan: sitiándola, como los cuerpos al deseo. La ventana de ese cuarto está abierta y el aire se cuela molestamente. Andrés apenas lo percibe, sigue escribiendo como un loco, furioso.

A las nueve de la mañana habló por teléfono a la editorial y le dijeron que Mónica llegaba siempre a eso de las diez. Le quedaba más o menos el tiempo para encontrarse con ella a la entrada y pedirle una explicación, tenerla de algún modo. Llegó antes y la esperó vanamente hasta más de las doce. Nunca llegó. "Tal vez estará enferma", le dijo una secretaria anodina, aunque por políticas de la empresa se negó a darle su dirección ni teléfono. Estaba harto, además era su segundo día sin ir a trabajar a la clínica y para el regreso estaría lleno de pacientes que atender y de historias que no deseaba oír, absorto por recuperar la esencia de algo que se le escapaba como líquido en las manos.

Regresó a casa y se hizo algo de comer. A las seis tocaron el timbre. Era Mónica.

"¿Me sentía cómodo o incómodo con esa presencia de nuevo frente a mí?", pone en el papel. "No sé, tal vez las dos cosas. Le dije que esperara y bajé a abrirle, pero mi corazón latía como loco y algo me detenía. Creo que la hice esperar demasiado, pero tenía miedo, era riesgoso, casi sabía qué era lo que ocurriría después."

Ella se abrazó a Andrés, besándolo con fuerza y rodeándole el cuello mientras él se dejaba hacer y ensayaba una serie de reproches y regaños. Pero ¿se puede reclamar algo a alguien que no existe? Subieron juntos, él aún sin decirle nada y ella esperando ya algo por lo que había adivinado en su mirada.

Sintió cómo esa segunda noche con Mónica era ya algo distinto, era algo *conocido*. Esa mujer había estado con él, su historia se había cruzado con la suya. "Lo que sucede es que creemos conocer, porque de lo contrario nos sentiríamos infinitamente estúpidos, pero no hacemos sino retener y adivinar ciertos gestos, posturas o frases de los otros. No podemos tenerlos, porque sólo poseemos la imagen de esa persona y no lo que es en sí. Si fuera posible el conocimiento, entonces todas las personas captarían lo mismo de ciertas cosas y de ciertos seres. Nada hay más falso, sin embargo. Captamos sólo lo que deseamos aprehender; todo lo demás nunca será nuestro."

Se sentaron sobre la cama y ella le puso un dedo en la boca. "No digas nada, por favor. No quieras comprenderme aún", le dijo Mónica y él se guardó para otro rato el rencor acumulado. "Vine porque te necesito; si no, no estaría aquí, eso es todo lo que debes saber. Y tú me aceptas por lo mismo. Úsame, entonces." Todo en ella era imprevisible y además Andrés no se sentía capaz de corregirla. Fue ella la que lo desvistió esta vez. "Quédate quieto", siguió ordenándole. Al empezar Mónica él estaba molesto, nada excitado, pero al final estaba ya erecto y ansioso. Y es que ella lo hizo todo lentamente, con cautela. Sus uñas de pronto lo rascaban y luego lo apretaban y luego le tomaban la verga y regresaban por los pechos, hundiéndole en la piel, haciéndole daño a ratos. Lo besaba en tanto por todos lados. El nunca supo cómo Mónica podía haber quedado desnuda al mismo tiempo que él, como si el deseo la desvistiera con más malicia que él mismo.

Ella empezó a besarle el pene y a introducírselo en la boca, puesta en la cama al revés que Andrés, y él podía tocarla mientras sentía la lengua de Mónica jugando, haciéndolo gozar interminablemente. Él la tomó de las piernas, subiéndosela a su cuerpo y colocándole las piernas a los lados de su cuerpo de forma que podía ver sus nalgas y sentirlas y empezó a buscar, a beber ahí, en la vagina, por los labios, subiendo y bajando aceleradamente, gozando ya su venida y Mónica se tragaba hasta la última gota de sus líquidos y ella también llegaba y los dos estaban poseídos por una misma frenética pasión que los conducía y los perdía y los volvía a hacer encontrarse. Él tardó siglos en excitarse esta vez. Platicaron mucho.

Mónica le pidió que le contara más cosas acerca de él: aunque ya sabía que era psiquiatra ella necesitaba más información, qué hacía, qué le gustaba, cómo era la clínica, si le gustaba alguna de sus pacientes o le interesaba especialmente alguno de los casos que estaba atendiendo. Él contestó a todo sabiendo que no podría hacerle ninguna pregunta, que Mónica no tenía pasado, que tal vez no era nadie. No se atrevió siquiera a decirle que la había estado buscando. Era como si para poseerse a sí misma, para existir, Mónica necesitara de Andrés. "Es sólo por la presencia del otro que nuestra existencia cobra realidad. Mónica se afirmaba en mí, pero yo no podía afirmarme en ella: un mundo de silencio me lo impedía." Andrés sabe la verdad de esto último que ha escrito y vuelve a sentirse un poco mal. La noche es especialmente fría. No ha puesto música. Sólo se oye el golpeteo de las teclas llenándolo todo. Luego el sonido se detiene. ¿Ha acabado el martirio?

Saca un atado que tenía guardado desde

quién sabe cuándo, tal vez hace dos años, cuando dejó de fumar. Siente una imperiosa necesidad de volver a hacerlo. Con los dientes le quita el filtro a la boquilla y enciende el cigarrillo. Está recostado sobre su asiento, frente al escritorio y echa el humo hacia arriba. Piensa y repiensa a Mónica, o tal vez a lo que él es sin Mónica. Hace ya tanto tiempo. "Pero uno nunca se acostumbra a la soledad", escribe, "es imposible que te digas 'está bien que me hayan quitado lo que tengo'". Lo que empezó por casualidad se llenó de embrujo, sin las connotaciones peyorativas de la palabra. La vida cotidiana va haciéndonos repetir mecánicamente algunas de las cosas que más nos disgustan de nosotros mismos hasta que ya no sabemos de dónde salen, cuáles impulsos las motivan. Y el recuerdo es inevitable.

Andrés se puso frente a ella y sin dejarla decir nada más colocó las piernas de la mujer sobre sus hombros, abriéndoselas y ahí fue penetrándola poco a poco, moviéndose circularmente, sintiéndola abajo gemir y dejarlo entrar poco a poco otra vez. Ella gritaba como nunca; aullaba, y él seguía penetrándola de igual forma. La sintió llegar y poco después él se acercaba al mismo lugar, dejándose ir por algún lado de su cuerpo. La abrazó y, vencidos por el cansancio, esta vez con mucho mejor ritmo, conocidos ya los territorios, se durmieron juntos, casi al mismo tiempo.

"Esa noche en la memoria suple todo el conocimiento", va escribiendo Andrés, "se instala en el recuerdo y lo llena de la dulzura que quizá nunca tuvo. Tal vez porque dormidos no nos podemos dar cuenta de lo que piensa el otro, de lo que le pasa, y lo sentimos cerca sin saber siquiera en qué o quién estará soñando."

3

"Despertar con la conciencia de otro cuerpo junto al nuestro es quizá la experiencia más tranquilizadora para el ser humano." Andrés se detiene sobre lo que ha puesto en la página y lo relee varias veces, intentando exprimirles a las palabras el recuerdo de lo que quisieron decir y no pudieron. Esa mañana fue mucho más maravillosa de lo que ha podido expresar. Por más que ha intentado no puede dejar de ser falso. No quiere decir mentiras, no quiere escribir nada que no ha pasado, pero al escribirlo de otro modo lo trastoca y lo vuelve mentira; esa mañana al despertar y rozar por casualidad la piel suave de Mónica, él se sintió el hombre más feliz de la tierra y no puede ponerlo porque le parece cursi. Y es cierto, pero cruel. Ésta es la tercera vez que lo seguimos cuando escribe en las noches, aunque lo ha hecho muchas más veces. Nos importa rastrear sus pasos, conocerlo, ver cómo se acumulan en él los recuerdos, de qué manera intentar recuperar lo perdido le otorga otro sentido a su existencia. No podemos saber mucho de un hombre, nuestro conocimiento está hecho de suposiciones a partir de los pocos datos que podemos obtener. Las palabras, el recuerdo, los signos de otras cosas y que nos llevan a otras personas, no pueden usarse salvo para mentir. No son, están en lugar de. Todo lo humano hace referencia a otra cosa y todo es mentira. El amor como forma de conocimiento (¿qué otra cosa puede ser?) es también un signo que no está, que busca a otro, por lo tanto también es mentira.

Despertó con dos sensaciones, en el lado izquierdo —que había quedado descubierto— un frío enorme, en el derecho el calor del cuerpo que, junto al suyo, estaba sobre la cama. Contempló a Mónica un rato, con la impunidad de saberla ausente, escrutó su cuerpo y su rostro y fue sintiendo su belleza, absorbiendo su hermosura, como si de tanto mirarla fuera aprehendiéndola. La visión de ese cuerpo que el sueño tornaba lejano e indefenso lo hizo excitarse. ¿Qué puede haber en un cuerpo? "La manifestación de lo imposible se encuentra en el sueño y en el cuerpo", había dicho Mónica otra vez hace mucho, recuerda Andrés, pensando en las pocas veces que se ponía filosófica, y entonces escribe: "Lo que no tiene razón, lo que está más allá de la razón, lo no inscrito, lo anormal, lo prohibido, lo asocial, la escritura, el otro mismo, son tangibles en tanto muestran la fatalidad de lo que no debe ser, como el amor, el erotismo, la locura, lo maravilloso. Pero resulta que el hombre no puede estar sin esas cosas, que necesita de lo imposible y que éste es su mejor alimento. Si lo sexual es parte de la naturaleza, con el erotismo el hombre se aleja de lo animal, del instinto y se coloca en el signo, en la herida sangrante de la mentira, de la imposibilidad. Ahí el porqué de no saciarse: *erotizar* es inventar las leyes de nuestro desapego a lo natural, a lo imposible. El amor es la fuente de la destrucción".

Ella se despertó, besándole los labios y acariciándolo. "¿Te parezco bella, Andrés?" Él lo piensa ahora: no es sólo la necesidad de autoafirmarse, es también que adquirimos conciencia del cuerpo y por lo tanto de lo que somos, sólo por medio de los otros. "El problema radica en no poder recordar *el cuerpo*, sino partes del cuerpo. No es sino por el fragmento que puedo ilusionarme con que estoy conociendo. Puedo describir las piernas redondas, torneadas de Mónica, puedo decir que sus pechos no eran grandes, que tenía las orejas pequeñas, que sus ojos miraban como los de ninguna mujer, desnudándote; que sus hombros eran deliciosos, que los vellos de su pubis eran suaves y negros; tal vez hasta diga que tenía las nalgas más maravillosas, pero no podría, por más intentos que hiciera, recuperar la totalidad: *tenerla*."

Él puso el pene entre los pechos y los

tomó con las manos, moviéndolos, mientras subía y bajaba y movía circularmente las caderas. Ella le abrió las nalgas, introduciéndole un dedo por el ano y también moviéndolo en círculos. La mañana era hermosa y el placer la hacía mucho más. "Amor, amor, amor", le repetía despacio Mónica y él estaba sorprendido, era la primera vez que oía esa palabra de ella. Se vino, dejando salir el semen intermitentemente y salpicándoselo por todo el cuerpo, hasta una gota que le cayó en el ojo y otra en el ombligo, y en las piernas y en el pelo. Ella se reía y Andrés le fue chupando su propio jugo por todo el cuerpo hasta que como un gato la dejó limpia y llena de su saliva, impregnada con su olor y su aliento. Mónica le pidió que la acariciara con la lengua y él obedeció, ahora frotando su clítoris de un lado a otro, con fuerza, violentamente. Ella estaba humedísima desde antes y se retorcía, quejándose herida por un cuchillo muy fino que la abría por dentro y se le hundía en la carne con fuerza. Él le pidió después que se pusiera los calzones y así, medio desnuda —o más desnuda, tal vez— bajaron a desayunar.

"No puedo dejar de ir al trabajo hoy, Mónica." Ella en silencio, comiendo sin contestarle. "¿Te puedes quedar, o podemos vernos en algún lado?" Nada de sus labios. "No vuelvas a hacerme eso de la otra vez, Mónica." Sigue un silencio largo, él se calla también, se ha dado cuenta de que no tiene sentido pedirle algo que no hará. Mónica al fin rompe el muro: "Me voy a ir. No sé cuándo regresaré. Es más, ni siquiera sé si voy a volver. Sólo te pido una cosa: no me busques. Si te necesito, vendré". Nada se puede quedar igual después de declaraciones como éstas; sin embargo, Andrés fingió no darle importancia al asunto y empezaron a hablar de otras cosas, de alguna película o un libro, no puede recordarlo ahora, además no tiene importancia. La memoria tiene sus caprichos, y los recuerdos de Andrés son catapultas hacia la angustia. No hay lagunas ni oasis. Él tampoco los desea. "Sólo el dolor nos permite recuperar el pasado, así como sólo el pasado y nuestro cuerpo son señales de que existimos, si no todas las otras ilusiones en las que se sostiene la vida desaparecerían". Volvieron al cuarto y él la observó vestirse sentado en el sillón. Mientras se iba cubriendo recuperaba la seguridad que perdía desnuda. Una falda apretada y una blusa pálida, color hueso. Volvía a estar como cuando llegó. ¿Pasó algo entonces? Él está sentado en la cama y la ve hacer. No dice nada. No mueve nada. Lo que no significa: no piensa nada, no remueve nada. "Adiós", le dice Mónica dándole un beso en la mejilla. Después la ve irse. El silencio permanece.

"Quizá he ido demasiado lejos", escribe Andrés por último. Faltan varias horas para que amanezca, pero no puede más. Se siente vacío. Incluso vacío de no poder recuperar el *otro vacío,* el de ese adiós mientras él se quedaba en la cama, contemplándola irse y quedándose solo. Se recuesta a dormir. Lo último que oye es un claxon.

4

Andrés intenta recuperar el instante, piensa que podrá lograrlo —igual que lo hizo Mónica— si deja de escribir tres días, los mismos que ella estuvo ausente y que él pasó como la más terrible vigilia entre una serie de pesadillas. Fue al consultorio. Atendió todos los asuntos pendientes. No hubo nada de tomarse en cuenta. Asistió a una cena de ex alumnos en el colegio donde estudió la secundaria y preparatoria, sólo para darse cuenta de lo jodidos y mediocres que se habían vuelto todos, y terminó borrachísimo en casa de alguno de sus compañeros del que ahora no recuerda ni el nombre. El segundo día sin Mónica, desvelado, de mal humor y con una cruda insoportable, lo pasó entre un baño ruso larguísimo, cervezas y un espantoso partido de fútbol en casa de uno de sus hermanos, lo que le agravó el mal carácter y estuvo a punto de patear a uno de sus sobrinitos cuando salió de la pileta y lo abrazó empapándolo. Era increíble el poder y el dinero que había acumulado su hermano en todos estos años, pero no parecía más feliz por esto. Ya en la tarde tuvo que oír las confesiones sentimentales de su cuñada, que sí era definitivamente desdichada en medio de su mansión. El humor teje una red involuntaria a la que —como el azar— no podemos sustraernos. Se estaba yendo a su casa cuando el perro le mordió la pierna, haciéndole una herida bastante profunda. Su cuñada lo curó, disculpándose apenadísima. No pudo dormir bien esa noche y la pierna le punzaba insoportablemente. El tercer día —y último— sin Mónica, sólo se le descompuso el coche y se le quemó una carne que estaba guisándose. Nada de cuidado. Ahora, mientras lo escribe y lo recuerda, Andrés ríe. "¡Cuánto puede provocar la ausencia!", acaba por escribir.

Regresó y todo fue como un ciclón devastando los territorios a su paso. Antes de que él se diera cuenta, Mónica estaba desnuda y hacía otro tanto con él. Lentamente el tacto fue sustituyendo a los otros sentidos. Poco a poco sus manos recorrieron el cuerpo de Mónica, sintiéndolo, intentando reconocer los lugares que él ya había tocado antes. "¿Era cierto, alguna vez había estado yo en ese cuerpo?" Parecía no poder irse más allá de ese calor, de ese contacto, de esa cercanía de los cuerpos. Buscaban algo que tal vez no poseían. Las piernas abriéndose y cerrándose y los cuerpos cambiando de lugar: huyendo y regresando. Hasta después de lo que fueron siglos de búsqueda y él no se atrevía a hacer nada y ella estaba ya quieta y la noche los entretejía con otra respiración, llenándolo todo. La quietud puede ser otra forma de conocimiento. Pasaron varias horas así, sin decirse nada, desnudos el uno al lado del otro, sin tocarse, como sabiendo que no era posible la unión —o intuyéndolo—. "Te necesitaba", dijo Mónica, poniendo en movimiento los resortes del deseo.

Andrés no se atrevió a decirle que él también. El silencio volvió a hacer de piedra los cuerpos. Nada adentro, nada afuera. Todo resumido en el silencio. "Y hoy tampoco nada. Sólo el olvido, aunque éste únicamente pueda existir a través del recuerdo y ambos se necesiten y no puedan existir sin el otro. Nada es total. Nada está completo."

Andrés se toca los dedos, las suaves yemas, y se dice que ahí estuvo Mónica alguna vez, en esas manos necias. Pero no puede recuperarla. No puede tenerla. "La esencia de la vida parece incomprensible. Perder lo hecho, lo sentido, lo amado, es la única manera de vivir." Recuerda, evoca, intenta asir lo inapresable.

"¡Cógeme!", le dijo ella rompiendo el encanto. Él la tomó de las muñecas y se sentó a la orilla de la cama, con el miembro erecto; la obligó a sentarse sobre él y la fue hundiendo presionándole los hombros y dejando caer sus manos en los pechos, Mónica temblando y gravitando y llegando ya; él jugando con sus pezones y dejándola hacer, inmóvil. Ella moviéndose, separando sus nalgas de los muslos de Andrés y volviendo a hundirse en él; rotando, clavada allí: hecha de espuma y de granito. Fueron resbalándose de la orilla hasta llegar al suelo y allí, en cuclillas, ahora sí moviéndose dentro de ella, él cobró vida, mientras Mónica subía y bajaba la vulva por el pene humedecido, gritando con los ojos cerrados: absorta. Él la volteó y buscó la vagina desde atrás, metiéndosela. Ella en cuatro patas, recibiéndolo y gritando y viniéndose de nuevo. "Más, más", le pedía y él dejaba sólo la punta de su miembro, moviéndoselo ahí mientras ella tenía pequeños orgasmos, microsismos, y él sentía el líquido mojando su pene y haciéndolo resbalar hasta que él tocó la entrada del útero y ella gritó más fuerte. La volvió boca arriba y empezó a gritarle, entrando rápido, con fuerza y ella se venía pareciendo irse y los dos llegando juntos, trenzados. Él encima y ella rodeándole la espalda con sus piernas. Hasta que los venció el cansancio, quién sabe cuándo y a qué hora.

Empieza a llover. Andrés oye truenos que sacuden los vidrios de su casa. Tiene el casete con Bach de nuevo. La música lo tranquiliza. Es muy noche. Las tres o las cuatro. No pudo resistir tres días sin escribir sobre Mónica y ahí está, volviendo a dibujarla en esa letra que aprieta. Pero ella no aparece. Ni aun en el recuerdo. La busca, expresándola de otra forma. Se recuesta y recuerda una frase de D.H. Lawrence. Empieza a escribirla: "La nuestra es esencialmente una época trágica, así que nos negamos a tomarla por lo trágico. El cataclismo se ha producido, estamos entre las ruinas, comenzamos a construir *hábitats* diminutos, a tener nuevas esperanzas insignificantes. Un trabajo no poco agobiante; no hay un camino suave hacia el futuro, pero le buscamos las vueltas o nos abrimos paso entre los obstáculos. Hay que seguir viviendo a pesar de todos los firmamentos que se hayan desplomado". Regresa el carro de su máquina y subraya la última oración diciéndose que es cierto, que hay que sobrevivir aunque las cosas no parezcan valer la pena. "¿Dónde estarás, Mónica? Te has perdido. No puedo encontrarte de ninguna forma. Sé que no regresarás y sigo necio, pensándote, escribiendo lo que nos ocurrió para ver si puede volverse real, pertenecerme." Quizá sin ningún orden, la escritura de Andrés cambia de sujeto, se dirige a ella y luego vuelve a regresar a su tono impersonal. La escritura como lugar de encuentro, como verdad última, como acercamiento. Escribir para ser, para evitar la soledad y compartir el mundo. Recordar debe ser como vivir, dejar que la letra ondule la superficie de la página en otro acto de amor, no por menos lejano más personal e íntimo. Erotizar las palabras y exprimirlas y madrearlas, haciéndolas decir algo que no podrán expresar. Inflamar el sustantivo de deseo, masturbar al verbo, tocar el clítoris del adjetivo hasta oírle decir: estoy muerto de sueño. Abrirle las piernas al adverbio y lamerle la oreja al artículo y besar al pronombre y seguir haciéndole el amor a cada oración, volteándola, abriéndola, vejándola. Herir la superficie de la página y ver cómo brota la sangre del encuentro, la sangre del dolor. Nada hay, sólo el silencio. Andrés dormita en la silla. Amanece. Bach se detiene. Son las seis.

5

Esa intimidad no debe ir más lejos, pues hemos agotado todas sus posibilidades en la imaginación y todo lo que terminaremos por descifrar, más allá de los sombríos colores de la sensualidad, es que seremos esclavos el uno del otro.

LAWRENCE DURRELL, *Justine*

Es la quinta noche en que se sienta a escribir sobre Mónica. Está ahí, atrapado, *muerto*, como decía Lowry, por las fuerzas malignas que ha invocado al escribir. Tiene algún sentido, se dice Andrés: para olvidar es necesario recordar. Tal vez en cierto momento él pueda quedar libre del recuerdo, del mal.

La presencia del amor en nuestra vida es la raíz de toda muerte; nos revela indefensos y minúsculos como somos. Para existir, el amor necesita del desamor, de hacerse presente, ausentarse, quebrantar el orden y luego emprender la retirada. El hombre requiere de él, de sus contradicciones: locura y origen de toda insatisfacción y de todo mal, el amor viene y va, maltratando, ensanchando las heridas del tiempo, la incauterizable ausencia. La separación de los amantes es el destino último de la ilusión del amor; el desencuentro es necesario y cruel y deja al hombre solo, vejado, sin poderse quitar del cuerpo el recuerdo de *ése* y así encontrarse de nuevo solo, irremediablemente desamado. Un día, cualquier día, se acaba el sueño, termina la fiesta, y empieza el atroz asombro de que es imposible comunicarse, de que nada hay tan diferente y separado como un hombre y una mujer y que esta diferencia es el origen de la imposibilidad y del fracaso. Si pudiera limitarse al deseo y nunca se quisiera más, sino que se necesitara menos... Sin embargo persiste y nunca encontraremos el lugar de la herida.

Llueve. De la manera más rara, de golpe, empezó a soltarse un aguacero terrible. Andrés está asomándose a la ventana y ve el agua caer del techo como cascada. Escucha a George Gershwin: *Like someone in love.* Va entrando a la música y siente que su cuerpo la amuebla, llenándola. Baila al compás de ese ritmo lento, bamboleante, *deep deep blue.* Sus pies flotan en el aire, apenas y rozando el suelo, los brazos aletean sueltos como alas de gaviota. La piel empieza a sudar mientras el piano de Oscar Peterson sigue a Gershwin y la soledad se apodera del espacio, como en un bar solitario y nocturno, ¿hay algún otro tipo de bar? Abre un cajón y saca una varilla de mirra. La enciende y el olfato se llena de reminiscencias y dolores. Los músculos saltan. Aroma y música, mientras la lluvia se empeña en dejar constancia de que hay algo afuera, de que existe otra cosa aparte de la soledad y este cuarto y el piano llenándolo todo. Pero Andrés no escucha la lluvia y todo es ahí dentro, entre cuatro paredes. Por él se mueve, reconociendo su territorio. Se sienta y escribe: "Sin embargo hay que exigir lo imposible". Esta frase que continúa a otra nunca escrita pero siempre presente, tal vez oída en la música y olida en la mirra, alguien la encontrará flotando sin rumbo en esas cuatro paredes donde ahora Andrés teclea con la fuerza del silencio, dejando que la vida se le salga por los dedos que aprietan velozmente las teclas. Ha parado de llover y ya no se escucha nada en la grabadora. Se toma los cabellos, jalándoselos, buscando la respuesta a algo perdido no sabe cuándo y su rostro tiene la expresión sofocada de quien ha corrido muchos kilómetros.

"Busco la serenidad a partir de la atroz acumulación de mi pasado como si la vida siempre estuviera demasiado lejos, a punto de huir de mis manos", escribe Andrés y recuerda. Mónica se levantó y se puso a leer un libro del estante en voz alta: "No es nada de tu cuerpo, ni tu piel, ni tus ojos, ni tu vientre, ni ese lugar secreto que los dos conocemos, fosa de nuestra muerte, final de nuestro entierro. No es tu boca, tu boca que es igual que tu sexo, ni tu ombligo, en que bebo. Ni son tus muslos duros como el día, ni tus rodillas de marfil a fuego, ni tus pies diminutos y sangrantes, ni tu olor, ni tu pelo. No es tu mirada, ¿qué hay en una mirada?, triste luz descarriada, paz sin dueño; ni el álbum de tu oído, ni tus voces, ni las ojeras que te deja el sueño. Ni es tu lengua de víbora tampoco, flecha de avispas en el aire ciego, ni la humedad caliente de tu asfixia que sostiene tu beso. No es nada de tu cuerpo, ni una brizna, ni un pétalo, ni una gota, ni un grano, ni un momento: es sólo este lugar donde estuviste, estos mis brazos tercos". Luego lo cerró volviendo a ponerlo en el librero. "Es triste", dijo. No le importaba que fuera de Sabines ni de nadie. "¿Te he dejado así, alguna vez, cuando me voy sin avisarte?" "Sí", le contesta Andrés, "cuando me quedo solo siempre leo ese poema", acaba por mentir pero pensando que no importa, que es exactamente lo que ha sentido en esas ausencias en que no puede tenerla ni aun en fragmentos, y sólo le queda ser el hueco, el espacio, el vacío que Mónica le deja. Ella regresó a la cama, metiéndose bajo las sábanas y acurrucándose, recostando su cabeza en el pecho de Andrés que, tomándola de la cintura, con la otra mano le acariciaba el pelo y las cejas.

Platicaron mucho tiempo. Ella al final le dijo: "Eres demasiado limitado, unos temas, unas obsesiones. Déjate llevar alguna vez a otra parte". ¿Era cierto?, se pregunta Andrés frente a su máquina de escribir y no sabe qué responderse, qué decir. "Tal vez sigo siéndolo", contesta en la página blanca. "Nunca te conformas, lo bello para ti no puede estar en el instante, tiene que ser eterno y eso es imposible", Mónica iba tirándole todos sus asideros cada vez que hablaba y él no podía recomponerse. "Bésame, tonto", y él se perdió en sus labios, mientras ella lo devoraba, hundiéndole los dientes y metiendo su lengua, dándole vueltas mientras casi lo succionaba con sus labios, confundiéndolo en su solo aliento. Él se separó, intentando hablar. "No digas nada, Andrés. Vas a echarlo a perder todo." Y él calló, hizo a un lado sus pensamientos para dejar, como siempre, que ella mandara. Pero no pudo, acabó por preguntarle: "¿Me amas?". "Sólo sé que no puedo estar sola." Luego no le contestó más y se fue apartando a la otra orilla de la cama. Andrés sabía que ella estaba en lo cierto, que había echado a perder todo el asunto sin atreverse a decir nada. Ni siquiera cuando Mónica se vistió y tampoco se detuvo ya cerca de la puerta del cuarto a arreglarse el pelo en el espejo. "¿Qué podría decirle si era ella la que estaba diciéndolo todo al pararse así, bruscamente para salir de la casa como un ciclón, igual que como entró, rompiendo todos los esquemas?", escribe Andrés. Fue ella la que le dijo: "No te preocupes, vendré esta tarde". Él la vio irse pensando que nunca la volvería a ver. Oyó el portazo de la entrada, que ahora era de la salida, y se oyó repitiendo: uno es nada de tu cuerpo... Y ahora él hace lo mismo que Mónica esa vez, toma un libro de los que tiene desordenados en el suelo y lo abre en cualquier página, lee: "¡Alta columna de latidos! Sobre el eje inmóvil del tiempo el sol te viste y te desnuda. El día se desprende de tu cuerpo y se pierde en tu noche. La noche se desprende de tu día y se pierde en tu cuerpo. ¡Nunca eres la misma, acabas siempre de llegar, estarás aquí desde el principio!" Cierra el libro y se detiene sobre la pared, mirando a través de la ventana aunque no ve nada. La oscuridad es enorme. La noche es una pesada capa de ansiedad. Andrés recorre su brazo, apretándolo. Le duele desde hace horas, obligándole a tener conciencia de que existe, de que está ahí, sin nada ni nadie que abrazar. "Ningún acto es gratuito y todo está predestinado. Leo un poema que debía leer porque estaba pensándolo, porque lo escribí en la mente y el lenguaje es ese médium que lo apresa, irse y no regresar, aunque todo dentro de esta hoja que me contiene y me desconoce, como la mujer. ¿Para qué escribo?"

Andrés pone otra cinta en la grabadora. Mahler: la sinfonía de la resurrección. *Tuum, tarará, tarará.* Este acto cierra la trenza del recuerdo. Hay algo moviéndose ahí

66

dentro y diciéndole que es cierto todo esto, que está bien y debe seguir escribiendo, que ya cada vez recuerda menos y lo que está en estas páginas ya no le pertenece ni le molesta.

Y es que nadie que haya escuchado esas notas puede sustraerse a la emoción: renace; algo se levanta de la nada y llena el espacio gritando: todo, todo, todo. Y ya no hay Mónica ni hay cuerpo ni hay recuerdo en el cuarto, sólo un hombre que emerge suplantando por el sonido suspendido en él. Andrés se recuesta, mesándose el pelo y llenando un vaso de vino, mientras las notas se van haciendo tenues, apenas perceptibles y él empieza a tomar, sereno, renovado, con los ojos brillando y ya no hay olor a mirra ni sabor a vacío ni textura de ausencia ni visión de Mónica sino un hombre ingenuo regándose el vino sobre la camisa.

Ella regresó en la tarde, era cierto. Venía acompañada. "Te presento a Lorena, Andrés." "Pasen, siéntate", le decía a la muchacha más joven descubriéndole una cierta intimidad en la mirada. Mónica bajó al comedor, gritando: "¿Quieres un ron, Lorena?" "Sí", contestó ella cruzando la pierna y dejando ver sus muslos bajo la falda beige. "Ven, Andrés, no encuentro la botella", él bajó disculpándose con la joven y fue a encontrarse con una Mónica risueña, medio borracha que lo abrazó, colgándose del cuello y besándolo, igual que siempre cuando regresaba. "No me pidas explicaciones, por favor, pero quiero que nos acostemos." "¿Frente a esa muchacha?", preguntó él, todavía sin entender. "No, *con* esa muchacha, los tres." "Estás loca", le dijo sabiendo que no podía rehusarse ya que Mónica subía las escaleras de nuevo y él la seguía como siempre. Las cosas sólo son parecidas en el recuerdo, pero el tiempo las falsea. Andrés se ve subiendo con tranquilidad aunque en realidad estaba bastante preocupado y tenso.

Mónica se acostó sobre la cama y le dijo a Lorena que se acercara. "Desvístela", le ordenó a Andrés, que entraba al cuarto. La muchacha dejó el ron sobre el suelo y él le quitó la blusa, dejando ver un sostén diminuto que casi le arrancó. Le despojó de un zapato, besándole el pie y subiendo por la pierna, usando la lengua mientras con la otra mano le quitaba los calzones y se hundió entre los labios del sexo, separándolos y sintiendo la humedad: abriéndola. Se separó bruscamente, quitándole la falda y dejándola indefensa y desnuda sobre la cama, mientras Mónica, que estaba ya desnuda, comenzaba a besarla y a acariciarle sus pechos pequeños con los pezones durísimos. Andrés las miraba sin saber qué hacer, hasta que ella le señaló con las manos que se desvistiera y él dejó al aire una erección enorme y desafiante, nueva. Se acostó entre las dos mujeres, separándolas, y la muchacha bajó su cabeza, buscando aquel pene enorme que metía a su boca y apretaba y envolvía con la lengua dándole vueltas. Él boca arriba, acariciando los pechos de Mónica que besaba el ano de la muchacha. Lorena se separó, ahora hundiendo su boca en la vulva de Mónica y usando la lengua de nuevo en tanto Andrés la colocaba de espaldas y le separaba las nalgas penetrándola y oyéndola gritar y salirse entera por la boca, sintiendo los testículos del hombre y apretándolos despacio con la mano. Mónica se había movido y acariciaba por delante con la lengua el clítoris de su amiga y los tres eran un solo cuerpo moviéndose al compás del deseo.

Lorena llegó a un orgasmo interminable gritando "ya, ya, por favor", sintiéndose abierta por dentro a todo lo largo del cuerpo. El hombre sacó su miembro y se tiró en la cama, cansado, pero aún fuerte. Mónica se subió a él y empezó a hundirse ayudada por la humedad del pene. Lorena pegó su boca y Andrés la besó, percibiendo un olor dulce, diferente al de Mónica. Ella acercó sus pechos y él los lamía, redimiéndola, dando vueltas con su lengua por otros pezones dulces pero erectos. Y Mónica también llegó, contorsionaba su cuerpo arriba del de Andrés y él la sentía mojándolo y saliéndose de él. Luego Lorena le pidió que entrara y él

tomó sus piernas, separándolas y subiéndo-
selas a los hombros, penetrándola suavemente mientras la muchacha repetía: "Así,
así", como si su sexo fuera una constante ca-
cofonía. Mónica la besó y él las miraba, cerca de su cuerpo pero lejanas, ausentes, per-
didas en ese beso que las distanciaba de
toda realidad. Andrés miró los ojos de esa
muchacha, azules, cristalinos, vivísimos.
Probablemente los ojos más bellos que haya
visto nunca y Lorena lo sorprendió viéndola
y se sonrojó, perturbada por ese hombre que
la ve besarse con otra mujer mientras la pe-
netra. Y aún no salía de su confusión cuando sintió a Andrés venirse y apresuró su orgasmo que llegaba y la hacía alzar su cuerpo, levantando su pubis encrespado para
luego caer sobre la cama, muerta de esa otra
muerte que no se vela. Él no se salió, sin
embargo, y volvió con un ritmo monocorde
que excitaba a Lorena y la obligaba a seguir,
los dos sin percatarse de que Mónica ya no
estaba ahí, que había acercado una silla a la
cama y los veía haciendo el amor, observan-

do detenidamente el miembro de Andrés que volteaba los labios de Lorena entrando despacio a su cuerpo. Y luego miraba cómo los dos se venían y él se recostaba sobre los pechos de Lorena y los cuatro pezones erectos cobraban vida propia, rozándose mientras Andrés la besaba con ternura, con agradecimiento, y ella le contestó, abrazándolo también. Luego, al rato, con la locura de la noche los tres volvieron juntos a tocarse y a sentirse, hundiéndose en el cuerpo de los otros, aunque cada uno buscando algo de sí mismos y preguntándose con insistencia quiénes eran o en qué se estaban convirtiendo.

"Hace tanto tiempo de esas locuras", escribe Andrés, enjuiciándose, "pero no parece haber pasado ni un minuto todavía, aún veo los ojos de Lorena viéndome y Mónica mirándonos: su obra, los dos ahí, trenzados a causa de ella que se alejaba, para verse mirándonos". Es cierto. Cuando se quedaron solos y Andrés le dijo que prefería amarla a ella y estar solos, que necesitaba la intimidad, Mónica volvió a decirle que estaba limitado y que si lo hizo fue para verlo hacer el amor: "Estaba viendo cómo me lo haces a mí, ¿entiendes? Lorena era parte del juego, me representaba en la escena y yo podía verme en ti". Aún ahora no lo entiende perfectamente, se mira a sí mismo con Lorena, trastornado por sus ojos, y no ve por ningún lado a Mónica. Estaba fuera del cuadro, quizá porque el amor de Lorena fue dulce, tierno y no necesitaba destruir para afirmarse, era sólo juego.

En la grabadora está acabando el tercer movimiento y Andrés siente a Mahler, que retumba estruendosamente por su habitación. Y él viaja con esas notas, está en esas notas, en esas notas. El sonido lo transporta, mientras se recuesta en la cama y apaga la lamparilla.

Amaneció hace tiempo, mientras él se daba a la tarea de recuperar el vacío. Está acostado ya. Se toma la cabeza entre las manos, es un gesto muy suyo, repetitivo. Oye la música. Algo ha cambiado. No es el mismo.

Cuando ya se halla casi dormido ni siquiera escucha y existe sólo una palabra que se repite como si latiera en su mente, al ritmo de la sangre bombeada por sus venas con un ritmo monocorde: resurrección.

6

Andrés comienza una nueva apropiación de Mónica a través de la escritura. Está sentado en su cuarto casi vacío; para variar llueve. No hay música ni aroma a nada, casi todo se limita a un hombre frente a una máquina de escribir, unos cuantos libros regados por el suelo y una vieja foto de Bataille, encorbatado. "El olvido empieza a hacerse presente. En pocos días estoy logrando exorcizarme de tu recuerdo, perderte. ¿Dónde estás, Mónica? Ahora sólo puedo rememorar partes de ti. Tengo tus ojos mirándome distraídos, ni siquiera tu boca, sólo puedo recordar uno de tus labios: el de abajo, ligeramente abultado. Sé cómo es tu pelo (¿quién puede olvidarse de tu pelo?), me acuerdo de la forma de tus senos, aunque no del tamaño exacto. Puedo dibujar tus caderas con la lengua, pero no podría apresar la forma exacta de tus nalgas y aunque hiciera mucho esfuerzo lo único que me sería fácil describir de tus piernas serían tus pantorrillas. Nada de tus pies. Tal vez ni tus hombros. Ni tus ojeras divertidísimas —que prometí no olvidar nunca—. El tiempo nos traiciona. De espaldas a lo mejor ni te podría reconocer, ¿sabes?" Andrés está enfurecido, golpea su máquina. El olvido no es siempre serenidad. Cuando empiezas a perder fragmentos de la totalidad, cuando no puedes volver a juntarlos en nada coherente, entonces la memoria y esos pedacitos de memoria no sirven para nada. El hombre se exprime los recuerdos sólo para darse cuenta de que con ese acto está destruyéndose aún más, que ya nunca será el mismo. Desmemoria, capacidad de olvido, desmembramiento del instante, pérdida absoluta. Andrés siente el frío y la soledad del abismo.

El juego recomienza: nada ha acabado aún.

Él salió temprano al consultorio, despi-

diéndose de Mónica con un beso. "Voy a re-
nunciar al trabajo para quedarme todo el
día contigo", le había dicho a Andrés, dejándolo perplejo, cambiando las reglas del
juego, si alguna vez las hubo. Él salió sin
contestarle, sabiendo que todo era imprevisible, igual, y a su regreso no habría Mónica
ni nada. En el camino chocó, golpeando al
automóvil de adelante que frenó bruscamente ante un bache. El hombre salió enfurecido, gritándole mil cosas, y después de
mucho pleito Andrés le pagó lo que quiso y
siguió rumbo a la clínica. Atendió a varios
pacientes, lo que equivalía a decir: oyó a
varios pacientes, grabando su monólogo en
una cinta que después revisaba, hacía su
diagnóstico, comentando los avances y re-
trocesos en la siguiente cita. Llevaba ocho
años haciéndolo de esta forma monótona y
cansada. Comió con un viejo amigo, encar-
gado de pediatría en la clínica, y se dijeron
las mismas nimiedades de las que habían
hablado siempre: el clima, la crisis, la con-
taminación, sin detenerse en nada, sin

comprometerse en nada. Le contó que salía con Mónica, sin decirle más, y quedaron de ir a algún lado en pareja la próxima semana. Se vio a sí mismo regresando a casa a las seis de la tarde, cansado y triste y sin nada de qué hablar. Mónica parecía estar hablando en serio; se quedó en casa todo el día, según dijo, salvo el rato en que fue por sus cosas al departamento que alquilaba amueblado y dejó las llaves con la dueña. "Voy a vivir contigo, ¿te gusta la idea?" Andrés fue viendo su ropa regada por todo el cuarto atiborrando el espacio de maletas, faldas, sacos, bolsas de cuero, perfumes, pinturas, cepillos, cosméticos, medias. "Tenemos que arreglar todo esto", le dijo y empezó a hacerle espacio en sus muebles, dejándole dos cajones vacíos y acomodando su ropa interior y llevándose todos aquellos esmaltes y artículos de limpieza al baño. Ella colgaba su ropa en el closet, robándole todo el lugar y apretando la ropa de Andrés. Estuvieron recomponiendo la habitación toda la tarde, Mónica sólo con calzones y él

primero vestido, luego medio vestido y al final sin ropa, lo que Mónica aprovechaba
para aferrarse a su pene y tomárselo con las
dos manos cada vez que él pasaba cerca. Al
fin terminaron exhaustos y él le preparó de
cenar. Bajaron al comedor y él puso velas
en la mesa y una música de laúd medieval.
Demasiado vino tinto acabó por marearlos
y regresaron, medio borrachos, a su cama.
Andrés se quedó dormido tan pronto se
acostó y Mónica al poco rato, apretada a su
cuerpo.

Llueve. La noche es un silencio enorme.
Él está frente a la máquina aún. Le duele el
brazo y se lo aprieta, desvaneciendo la punzada intermitente que lo altera. Las hojas se
han ido acumulando sobre el escritorio, llenas de símbolos, como un mensaje cifrado y
además inaccesible, porque una vez escritas
ya no le pertenecen, ya nada le comunican.
Salvo una lamparilla no hay sino oscuridad,
lo que acentúa el ritmo del recuerdo. No
para, la máquina salta al roce de los dedos,
el carro va y viene y la hoja que apenas ha-

bía entrado ya está casi afuera, repleta de puntos negros, de letras. "No me interesa el resultado, sino el proceso", había escrito al principio de esta época.

"Ninguna evocación decide el presente. No hay recuerdo posible", pudo poner en algunas hojas más tarde. Nunca supo qué sería esta alternativa a la memoria. Nadie sabe en qué acaban sus proyectos; si así fuera, no se comenzarían. "Empecé por buscar a Mónica, a sabiendas de que no iba a encontrarla, de que estaría transformándola a cada intento, topándome con una Mónica distinta cada vez pero siempre ajena a la que yo tuve en mis brazos", sigue poniendo en sus hojas como si pudiera de verdad decir algo: "Me di cuenta tarde de que también estaba buscándome a mí, de que, como en el poema de Sabines, no se trataba de encontrar nada de Mónica, nada de su cuerpo, sino la parte del mío en donde ella estuvo una vez. El problema de la desposesión es agudísimo, te deja indefenso, expuesto a un muro de palabras y a una pared de silencios y a una memoria de dolores y a un olvido de rencor. Nunca a ti mismo".

Todo continúa imperturbable. Nada sino silencio y el eco del silencio respondiendo enmudecido. El deseo filtrándose por los poros de la piel, como una música, un sonido inaudible: el único en medio de la noche. La ciudad está afuera, o sea que no está en ninguna parte. Andrés inventa y reinventa la vida, porque vivir es olvidarse. Hace frío, un poco más que otras noches. Llueve con insistencia, monótonamente. Él se levanta y da vueltas, tocándose el brazo dolorido, desesperado, buscando algo. Está descalzo y con la barba de tres o cuatro días. Se echa el pelo a un lado y éste deja de molestarle en la cara. Luego, sin más regresa a su máquina.

"Hace unos días me preguntaste si te amaba, Andrés. No lo sé. Te dije que no podía estar sola, lo cual era mentira. No es sólo eso, porque podría quedarme con otro, entonces. Pero hay algo que me sostiene, que me hace volver a ti aunque no quiera. No tengo idea de qué, pero lo siento. No sé quién soy tampoco, tal vez sólo una mujer a la que le encanta gustarte. Necesito que me domines, que poseas mi cuerpo, que trastornes mi deseo y me hagas pedirte más. Tampoco puedo decirte si terminará un día, espero que no." Andrés fue siguiéndola mientras hablaba, sin interrumpirla, mientras ella le ponía una bandeja con el desayuno y él acababa de despertarse. "Ya son las nueve, flojo", le había dicho ella unos minutos antes, moviéndolo en la cama, y luego empezó a confesarle todas esas cosas, quizá a propósito para que Andrés, medio dormido, no pudiera asimilarlas. Andrés terminó su desayuno y fue al baño, sin haberle dicho nada aún. No podía acostumbrarse a esas frases de Mónica. Había despertado con una erección muy grande y no lo disimulaba. Mónica llegó al baño abrazándose a él y moviendo su pubis contra el de Andrés. Él la subió al lavabo, penetrándola, y ella se sostuvo en la cintura de él apretándole los muslos, subiendo y bajando por su pene humedecido, mientras él, con ella encima, caminaba hacia el cuarto, hundiendo a ratos su erección en Mónica que lo recibía golosa, besándolo, y él ya cansado, con los brazos hiriéndole, fue a una esquina del cuarto, recostando a Mónica en la pared y penetrándola hasta una profundidad que no conocía mientras ella llegaba y él sentía su esmegma corriéndole por los muslos, caliente. Se sentó en el suelo y luego se acostó; ella ahí, arriba de él, moviéndose y Andrés quieto, recibiéndola, gozándola. Empezó a dar vueltas con su vulva abierta, y tuvo otro orgasmo y otro, seguidos, mientras él también llegaba, gritándole y gimiendo roncamente. Fueron a acostarse juntos y él no tardó en estar fuerte de nuevo y penetrarla, succionando por todos lados, llenándola primero de saliva y luego de semen por todo el cuerpo, como símbolo último de ese acto que los confirmaba negándolos.

Algo termina. Nada empieza, ¿es la disolución?

"Negarme, no ser yo, si es que soy algo.

Ocultar mi cuerpo y protegerme en las palabras. No he hecho sino eso, Mónica, con la esperanza de apresarte, de tener algo de ti de nuevo. Pero no esto, esta pura pedacería que no es nada, que no sirve ni para un trabajo de *patch-work*, porque no hay con qué unirle los retazos. La imposibilidad del cuerpo a través del recuerdo o viceversa. Pura negación. Para qué todas estas palabras de Mónica, sobre Mónica, si sólo se oculta una carencia, el fracaso del deseo intentando afirmarse en la repetición, en el exceso. *Todo se ha hecho en nosotros, porque somos nosotros, siempre nosotros y en ningún momento los mismos*, dice Diderot. Uno escribe por miedo, porque no hay nada que produzca más terror que la ausencia, porque el pánico de ir quedándose solo, y de ir olvidando y perdiendo —esencia de todo paso por la vida— es difícil de resistir." Andrés escribe, se pierde, juega con las palabras, nada en ese lenguaje de sombra, en esa alcoba de sueño, en ese universo de desmemoria que es la escritura: puro temor.

El recuerdo nos golpea y no podemos recuperar la intensidad con que se vivió cuando era presente. ¡Quiénes somos para vio-
lentar nuestro pasado, una historia que no
es sólo nuestra, que también pertenece a
otros! *Mónica y él* pudiera querer decir muchas cosas, pero debería significar tan sólo
eso. Ni Mónica *en* él o *con* él, sino sólo *y* él:
pura unión, pura cópula y ningún nexo. La
noche, imponiendo su cansancio, disipa los
temores y oculta el miedo. La escritura, sin
embargo, fluye líquidamente por la página
que la ve moverse, trenzándose y abriéndose como flor, estallando e iluminando, oscu-
reciendo e invadiendo la blancura impávida
de la hoja que lo recibe sin extrañarse, pre-
destinada a ser un instrumento, el de la locura, quizá, el de lo imposible, el no-lugar,
la utopía, lo innombrable. Desmemoria, espacio en el que no estamos; un espacio de
olvido que nos anula y nos separa. Nada
puede recuperarse. Andrés, no les presta
atención a todos estos pensamientos que pasan rápidos por su mente, sin detenerse. Si-

gue escribiendo como si eso fuera lo último. Llueve sin parar. Unos sapos afuera rompen el silencio de la noche. Él pone una cinta cualquiera, una que no le dice nada, sólo para que anule el entorno y lo separe de la calle. Su habitación es dentro y fuera. El sonido abarca el espacio del cuarto aunque él tampoco le pone atención, es sólo un pretexto para seguir escribiendo. Nada hay salvo el recuerdo. Tal vez entonces haya que escribir solo: nada hay...

Era el segundo día, desde que Mónica había cambiado sus pertenencias, Andrés ya acomodándose a su presencia, a que no lo dejara solo, siguiéndolo por la casa, preguntándole mil cosas, introduciéndose en su vida y en su cuerpo y queriendo saberlo todo. "Háblame de tus mujeres", le había dicho Mónica y Andrés se detuvo, avergonzado. Le platicó de cada una de ellas, como si hubiera una intimidad ya muy vieja y Mónica supiera todo de antemano. Sólo al llegar a la última titubeó un poco. Era quizá esa separación lo que había condiciona-

do su estado de ánimo cuando llegó
Mónica. Andrés se dijo que no era cierto,
que siendo como era, Mónica hubiera entrado de cualquier forma en su vida, insta-
lándose como el recuerdo más viejo, tal vez
igual a la primera golpiza de su infancia.
Un día de pronto estaba ahí, como si hubiera estado siempre y Andrés tenía que acostumbrarse a la idea, dada la seguridad con
la que Mónica se movía por su casa, ordenándole los objetos, haciéndole cambiar algún mueble de lugar o descolgar los cuadros
que no le gustaban. "Es horrible, ¿podrías
quitarlo?", le decía en una petición que era
de por sí una orden. En esos dos días, la casa
se había ido transformando poco a poco en
la casa *de* Mónica y él movía las cosas de un
lado para otro. De verdad había renunciado,
y tenía todo el día libre para maquinar más
transformaciones. Al segundo día llegó con
una cama nueva porque la otra le parecía
espantosa y hubo que darle el gusto. "Me
quedé sin un centavo, Andrés, pero no pude
resistirla." Él acabó pagándola y habituán-

dose a la nueva adquisición. Era un orden nuevo.

"Quiero hacer el amor en esta cama ya", le había gritado a Andrés que estaba en su estudio —al que luego, cuando se fue Mónica, trasladó la cama y se quedó a dormir ahí siempre—, revisando un expediente. La tomó de la mano y ella le hizo entrelazar los dedos. Al llegar al cuarto lo soltó y se tiró en la cama, quitándose los zapatos y esperando a Andrés que subió a su cuerpo besándola en la boca, con ternura. Ella lo fue desvistiendo y él quitándole la poca ropa que tenía, y en ese nuevo colchón terriblemente duro al que después se acostumbraría, la penetró, mientras sus manos recorrían toda la extensión del cuerpo y lo acariciaban con desesperación, buscándolo, intentando que Mónica no huyera, conocer cada cicatriz, cada lunar, cada poro. Cuando terminaron ella empezó a preguntarle por el origen de cada herida aún marcada en su cuerpo y Andrés le describía cada accidente, cada golpe, cada caída. Luego él repitió el proceso y Mónica se escuchó contándole sus resbalones y heridas. Se fueron durmiendo, extinguiendo el deseo y la noche: dos fantasmas que siempre vuelven.

"Escribo para darme cuenta de que no puedo tenerte, Mónica, ¿dónde estás?". Nada aún. Ve la cama de Mónica frente a él y revive todo el pasado de golpe, no poco a poco, como en una película, sino de una sola vez: ahí está Mónica y lo que fueron esos días juntos, hace seis años. "No estás. No pude saber quién eras y no sé quién soy, Mónica."

Esta tarde, el cielo todavía está oscuro. Ha pasado muchas horas frente a la máquina. Se quita los lentes y apaga la lamparilla. Llega tropezando hasta la cama —que alguna vez fue de Mónica y ahora es suya— y se pregunta por qué tiene que seguir jugando a ser otro.

B

El fracaso de los cuerpos

7

"¡Siete noches!, no falta quien diga que el siete es un número de suerte, que es el preferido de la cábala, lo máximo, lo infinito, setenta veces siete, es decir todo, lo abarcable y lo inabarcable. Fin y principio, ese número se cierra sobre sí mismo. Para mí no hay tanta magia, se trata tan sólo de la séptima vez que se me ocurre sentarme a escribir sobre Mónica, quizá para escribir sobre mí, o sobre lo que soy sin ella. Nombrar al otro, pronunciar su nombre: recomenzar el sueño. Aunque afuera sólo haya un cielo oscuro cargado de soledad: arrugas, nudos, nubes, agua. Y hace un rato, mientras leía todo lo que he escrito para no perderla, me he dado cuenta de que no sólo he escrito acerca de ella, y sobre mí, sino respecto a otras cosas mucho más esotéricas, insinuando otros valores, diferentes a

los establecidos. No me detengo en ninguna
escena, no dramatizo, no hago psicología ni
política, ahí quedan los recuadros para que
el lector se vuelva cómplice de la búsqueda.
¿Cuál lector? Yo mismo, por supuesto, un
Andrés que sin embargo es otro, que está en
esas páginas y lo leo como si no lo conociera, como si no tuviera que ver conmigo esa
historia, y me tuviera forzosamente que ir
atando cabos para entenderla. Sin método,
con la anarquía que provoca el recuerdo.
Lawrence Durrell le hace decir a alguno de
sus personajes la más feliz frase —cruel y
certera—: *Me pregunto quién inventó el corazón humano. Dímelo y muéstrame dónde lo
ahorcaron*. No hay verdad más absoluta: es
el músculo más absurdo. El recuerdo de
Mónica me permite saber quién soy, pero a
la vez comprueba que no existo. ¿Soy sólo
lo que ella descubrió de mí?"

"Reinicio el juego, ¿qué más da?"
Mónica como un movimiento imposible de
parar. No le bastó con cambiar los muebles,
quitar los cuadros. De pronto decidió que

iban a pintar la casa. Cuando Andrés llegó, el comedor no estaba y la alfombra se encontraba llena de periódicos. Mónica, con un pantalón de mezclilla por toda ropa, pintaba una de las paredes color ilila!, y Andrés la contempló horrorizado, sin saber qué decir. "Ponte algo cómodo y ayúdame, ahí hay una brocha", ordenó mientras él subía a una escalerilla todavía perplejo. Le encantaba la pared color crema y ahora le imponían esta versión de comedor. Las modificaciones no acabaron ahí. Hubo que poner un tapiz de flores en la recámara, un nuevo piso en el baño, y además una jardinera enorme en el patio. En tres días la casa era otra. Cuando al fin satisfecha él les pagó a los cinco trabajadores y cerró la puerta exhausto y malhumorado, oyó a Mónica llorando en su cuarto.

Revive todo esto, lo que no es difícil, porque ha conservado todos los caprichos de Mónica en la casa, aunque el tapiz esté roto y cayéndose y las paredes sucias: seis años no pasan en balde. Todo lo conserva igual, aunque deteriorado. Pero las cosas no pueden devolvernos a las personas, y aunque ahora mismo esté en una casa que Mónica remodeló ella no está y eso parece lo único cierto. Afuera el aire ha sustituido la lluvia; los árboles se mueven amenazantes. Andrés está levantado, mirando por la ventana, viendo a la naturaleza debatirse consigo misma. Salvo el ruido del viento hay un silencio atroz.

Llegó al cuarto. Ella estaba sobre la cama. Cuando otra persona llora frente a nosotros nos ataca una sensación de pesadumbre y de impotencia, como si no pudiéramos hacer nada que modificara esa indefensión. Todo lo interior se vuelve exterior. Andrés no supo qué hacer, no supo qué decir. Se quedó contemplándola intentando respetar el dolor de esa mujer tan cerca y tan lejos de su mundo. "Creo que me di cuenta en ese momento de lo difícil que había sido. Hay veces en la vida en que un paréntesis obligado te centra en lo que eres y dejas de ser. Un solo minuto fue suficiente; poco después ya Mónica me interrumpía." Seguía sollozando: "No te quedes ahí parado, haz algo". Andrés la abrazó, sin acercarse, interponiendo su cuerpo. "Estoy muy emocionada. No sé, todo esto. Es como si no estuviera sucediendo". Andrés tomándola de los hombros y diciéndole "Te amo". Ella llorando todavía más, perturbada, formaba un cuadro desolador. "Necesito que entres en mí. Necesito sentirte." No se dijeron más en toda la tarde; lo que siguió fue una sucesión de encuentros y desencuentros. Horas enteras buscándose, encontrándose, diciéndole al otro la verdad de sus cuerpos. Él acariciando con la lengua el sexo de Mónica, rodeando el clítoris, sintiendo su olor, su sabor y los líquidos emanando de su cuerpo, humedeciéndola. Él siguió más fuerte hasta que la vio arquear la espalda, apretando los puños y endureciendo las nalgas, para luego venirse ruidosa, oscilantemente. Aún en medio del orgasmo Andrés la penetró y ella siguió temblando ahora con él dentro, en una locura que parecía no tener fin.

"Hace mucho tiempo que quería hacer esto", le dijo ella volviendo con un frasco de yogur y una palita. "Lléname todo el cuerpo." Luego Mónica y la cama estaban pringosas y dulces. "No me hagas el amor, acaríciame tan sólo, bésame, lámeme, llénate de mí." Al poco rato Andrés estaba empalagado, aunque jugaba con Mónica, y la volteaba y lamía sus nalgas dulces, y luego volvía a ponerla boca arriba y besaba sus pezones de caramelo, y le platicaba secretos en la oreja azucarada, y bajaba a su sexo y subía a su boca y buceaba en las pantorrillas; no hubo mucho que hacer cuando ya él estaba todo lleno y los cuerpos se pegaban y se unían, pegajosos y densos. Y al fin, después de mucho rato, Andrés la llenó con su espasmo: el azúcar había cristalizado en la piel y formaba arrugas, grumos, cicatrices. Corrieron al baño en donde el vapor del agua caliente fue desvaneciendo la incomunicación y otorgándoles consistencia o realidad. Él, enardecido de nuevo, la recargó violentamente contra la pared y hundiéndose la penetró con fuerza, atándola casi a la cintura y ella con las piernas trenzadas, sosteniéndose, mientras Andrés subía y bajaba el pene por ese sexo caliente, húmedo y reconfortante. Acabaron, secándose dentro de las sábanas ya cansados y medio dormidos. La noche fue de a poquito consumiéndolos.

8

Mónica no está aquí, piensa Andrés, al tiempo que sorbe un poco de whisky. Cuando buscamos no es posible hallar; cuando lo tenemos de nada nos sirve. En la grabadora suena Albinoni, o llueve Albinoni o fluye acuáticamente su música que todo lo llena y lo recubre de infinita esperanza. Es noche, mucho más tarde que otras veces. No hay nada más. "Te pasas la vida inaugurando un orden, construyéndolo, llenando el espacio y el tiempo con las cosas, los seres, las acciones que crees mejor le van a *ese* orden. Ficción maniática, arquitectura imposible, monótona obsesión por poner las cosas en su lugar, por hacer de la vida un milimétrico libro de contabilidad con columnas y renglones ya previstos, diseñados, lógicos, inmodificables. Egresos, ingresos; experiencias, ausencias. Día tras día acumulas instantes, llenas de imposibles aquellas hojas que algún día se gastarán, viejas, amarillas, ilegibles, no serán siquiera algo. Desmemoria, capacidad de olvido. La vida, al fin y al cabo, se construye sobre el desierto y un viento la dispersa sobre la arena donde se confundirá y no podrá ser recordada. En fin, hay días en que soy lacónico, sobrio, no puedo escribir casi nada. En otros garrapateo folios y folios y en algunos más, como en éste, mi espíritu moralista, catastrófico y trágico sentencia y pontifica. ¿Qué cosa es la soledad, de cualquier modo?"

Eran las seis y ella empezó a gritar, llena de placer. Él adentro, temiendo herirla y diciéndole bajito: "¡Qué felicidad!". Mónica le dio una cachetada. "Esas cosas no se dicen, Andrés. No hay nada eterno y la felicidad es absoluta, no existe." El mundo entonces descomponiéndose.

Eran las seis y él ya no sabía qué decir, cómo arreglar, de qué forma cambiar la tristeza de ese momento. Siguió en el cuerpo de

Mónica un largo rato, sin poder eyacular, ni desvanecerse. Ella tuvo tres orgasmos antes de que Andrés le pidiera parar. A los dos les parecía como el momento en que la aguja llega al lugar rayado del disco y todo lo que fluye se descompone.

Eran las seis y la muerte era ya una pulsión invadiéndolos. Lejanos los amantes se deshacen, descomponiendo su rostro hasta la mueca más amarga. Autovejándose. El amor y su carga de destrucción enorme. Andrés recordándose hundido en la oscuridad del sexo de Mónica, regresando mentalmente a su humedad que lo recibe mientras él le impone un ritmo circular a su penetración y ella gime, implora, pide más. Y él sale casi por completo sólo para que ella haga un nudo con sus piernas y lo traiga de nuevo adentro, donde todo se une y los contrarios se redimen.

Eran las seis y él bajó a prepararse un café. No la entiendo, pensó. Todo esto ya es su mundo, ha cambiado cada cosa, ha puesto todo como creyó que debería estar, ha guardado lo que no le gustaba, ha traído cosas nuevas. Ésta es su casa. Le doy todo. Y soy feliz, no me interesa que sea o no eterna la felicidad, me importa lo que sucede hoy, aquí, entre estas paredes que se caen de tanto modificarlas y clavar sobre ellas.

Eran las seis y él subió a preguntarle si quería café. Mónica estaba dormida, desnuda en el lugar que él ocupaba siempre en la cama, un poco encogida, soñándose quizá a sí misma, mujer como pura posibilidad. Andrés no quiso molestarla y bajó a tomarse el café solo, leyendo un periódico y dándose cuenta de cuánto tiempo llevaba sin siquiera leer el periódico con calma, para enterarse de las cosas. Antes de que llegara Mónica se sentaba a las cuatro con una copa de anís y pasaba casi una hora con el periódico, leyendo hasta los anuncios. No pudo contener una risita al salir del cuarto.

Eran las seis, había una mujer dormida en su cuarto, una mujer que aunque había deshecho todo lo que él tenía le seguía pareciendo una desconocida y no podía entenderla. Además, una mujer dormida es un misterio impenetrable. Se preguntó si la amaba y no supo contestar. Estaba seguro de que la necesitaba. No le cabía duda de que la pensaba, pero amarla, no lo sabía. ¿Dónde está el límite entre amar a una persona y sólo usarla, necesitar de ella, asirse a lo que representa para no naufragar en la vida?

Eran las seis y puso una cinta con fugas de Bach, se sirvió el anís y leyó el periódico. Como antes, interesado, refutando algunos editoriales, comentándose noticias importantes, impresionándose con otras. Se acabó el anís y se terminó la cinta y completó la lectura del periódico.

Ya no eran las seis.

"¿Y ahora?", se dice y lo escribe para poder retenerlo. "Ahora no hay nada, o yo me empeño en que no lo haya. Es tan fuerte el amor como la muerte, dice la sulamita en el *Cantar de Cantares* y se le olvida decir: Es tan fuerte como la separación, un anticipo de la muerte en la vida. Veo a Mónica dor-

mida en esa tarde, yo subiendo a preguntarle si quería café. Ella sonriendo, como bur-
lándose de mí, pero dormida, con esa estú-
pida sonrisa dibujada en el rostro. Hubiera
sido bueno matarla, deshacerla a pedazos,
odiarla, pero eso sólo puedo decirlo ahora:
en ese momento sólo me pareció ridícula y
terriblemente sola."

Andrés escribe. Albinoni se detiene. La
noche continúa imperturbable. Hay un silencio aterrador. Por la ventana él ve la
luna hoy completa, gigante y redonda. No
le dice nada. No siente nada. Sólo sabe que
es noche. No hay espacio para la dulzura,
no quiere regresar a la imagen de ese cuerpo desnudo que de pronto le inspira odio,
no quiere volver a tener la imagen del rostro de Mónica sonriéndole dormida. Se ve a
sí mismo bajar a tomar lo que queda de
café, se mira sirviéndose una copa de anís y
preparando el escenario para leer el diario.
Luego nada. Una cinta terminándose,
tocata y fuga y él accediendo de nuevo al
paraíso de donde Mónica lo había expulsa-

do con una cachetada, devolviéndolo al mundo de la realidad donde dos seres de carne y hueso se aman y desaman, se construyen y destruyen, se quieren y desquieren y poco a poco, inevitablemente, se van quedando solos.

"Esa tarde Mónica bajó un poco después; dos horas más tarde, quizá. Se hizo un café y platicamos en la sala un rato, lejos: uno enfrente del otro. 'Ven', me dijo y hasta ese momento noté que estaba desnuda y sólo tenía un suéter negro. Vi sus labios en el sexo un poco antes abierto y empecé a tocarlo, suavemente, como buscando algo. Rodeé con mis dedos, las yemas iban describiendo la geografía del cuerpo, deteniéndose en alguna arruguita y después invadiendo el clítoris y rodeándolo. Los labios se abrían, recibiéndome, y mis dedos bajaban, se hundían, entraban y salían, humedeciéndose profundísimos. Luego ella empezó a gritar y me llenó con su líquido mientras yo la sentía llegar, doblando la espalda y dejando el cuello libre, como si se le fuera a zafar la cabeza. ¿Qué pasó después? Mónica dijo que estaba muy cansada y subimos al cuarto. Ella se durmió rápido mientras yo leía una novela trágica y profunda, absurda y, creo, indispensable, sobre Tomás, Teresa, Sabina y la insoportable ligereza de la existencia. Todavía recuerdo que estaba leyendo que no podía saberse la cantidad de casualidades que tuvieron que ocurrir para que dos personas se juntaran. En mi caso, pensé que además de esos azares también hubo otros actos involuntarios, inconscientes quizá, que me fueron jalando así, poco a poco, al otro lado. Hasta que se trastocó todo orden y todo concierto. No volvió a haber lógica en mi vida: *l'amour fou*, diría Bretón sabiendo que tal vez no hay otra forma de amar. Es noche. Estoy cansado. No he recuperado nada."

Porque, no sin pesimismo, hay que aceptar que no se puede recuperar nada y que el olvido es la condición humana. ¿Qué tiene verdaderamente Andrés de Mónica si no unas cuantas palabras que pronunció, un

arete, unas medias rotas y un paquete in-
completo de toallas femeninas?

Ah sí, tiene su soledad, claro...

9

Hay una sensación de vacío, de absoluto, una caída hacia nuestro propio abismo interior que es inevitable y destructora. Los seres humanos cedemos ante el fantasma de la desolación y nos dejamos hundir en ese hueco enorme que es la desesperanza. Andrés está levantado, junto a la ventana, viendo hacia fuera, pero en realidad mirándose hacia adentro. Lleva nueve noches reconstruyendo la imagen de Mónica aunque sabe que es imposible, que no ha hecho sino mentir, que no ha podido hacer otra cosa que verse a sí mismo sin Mónica. Nueve días sin exteriores. Todo ocurre dentro de esta habitación inútilmente descrita, vacía y cruda. Bataille, unos libros; la mesa donde escribe, una máquina de escribir y una grabadora. Tres (¿o cuatro?) botellas vacías, un vaso en igual estado, la cama baja, casi tocando el suelo. Unas pantuflas. Ése es su mundo, ése es *el* mundo. Andrés camina por sus polos, descansa su brazo en el dintel de la ventana, se desespera, camina, da vueltas, está deshecho. Se ve derrotado. Hay un algo de premonitorio en todo esto. Camina un poco más, se detiene frente a la grabadora y escoge otra cinta. Borodin y las *Danzas polovotsianas*. El cuarto se llena y hasta la soledad parece menos cierta.

Pasa un rato largo y él, al fin, se sienta a escribir. Introduce una hoja y comienza, avanza, para, saca el papel y lo arruga. No puede seguir. Paciencia, se dice. Vuelve a meter otra hoja. Recupera el aliento. Sus dedos corren bailando por las teclas, el papel se llena de signos negros que, unos junto a otros, vanamente quisieran decir algo, no por mínimo menos aterrador.

"Aquí hay un hombre que te busca, que corre tras de ti, que viaja y viaja y no se cansa. No le importa el viento, ni la tormenta. Hay un ciclón y el hombre corre tras de ti, intenta apresarte, sin lograrlo. ¡Cuánto de imposible tiene el lenguaje, Mónica! Wittgenstein decía que los límites de mi mundo son los límites de mi lenguaje. ¿Dónde carajo estás?"

Mónica se despertó en la madrugada y comenzó a molestarlo. Andrés tardó poco en despertarse con aquella mujer encima, lamiéndole la oreja y poniéndole la carne de gallina. La dejó hacer, fingió estar dormido, que le cueste trabajo, pensó. Ella sintió cómo su pene se endurecía y dejó que se pronunciara más la erección para introducírselo y bailar encima de él, rotada, dando vueltas, subiendo y bajando su cadera. Él al fin no pudo más y abrió los ojos deslumbrándose con la imagen de esa mujer ahí y él sin poder hacer otra cosa que seguir dentro de ella, ahora imponiendo también su ritmo y, haciéndola salirse de sí misma, gritando, logró que juntos llegaran todavía trenzados y temblando hacia la misma dirección del infinito.

Volvieron a dormirse. El regreso al sueño

fue pesado, aunque Mónica ya estaba del otro lado de la vigilia, descansando, y Andrés aún tenía muchos asuntos que arreglar en la mente como para poder desvanecerse. Se preguntó qué era lo que estaba haciendo ahí, con esa mujer de la que tan poco sabía, por qué había permitido que las cosas tomaran ese rumbo y él ni siquiera había metido un dedo para decir qué opinaba, qué pensaba, qué cosas se le estaban ocurriendo, y tan sólo se dejó llevar como si nada, entrando a una vida y a un ritmo (¿qué otra cosa es la vida?) de lo más diferentes a los que tenía y estaba bien; ¡qué carajo! Cada quien hace de su vida un barrilete y lo echa a volar, pero ahora Mónica le parecía tan lejana y tan distinta a la primera con la que tanto gozaba y vivía y estaba ahí tan cerca, en la misma cama y él podía sentir en el pene la humedad de su sexo oscurísimo unos instantes antes, abarcándolo a él y diciéndole que era suyo y que no podía dejarlo; pero ahora mismo estaba en otro lado, quién sabe dónde, y él no podía tenerla, pero tampoco podía decirle que se largara y lo dejara vivir en paz, ahora que ya no le gustaba destruirse compartiendo la vida con esa mujer que le parecía ridícula. "Qué poca madre ¿no? porque yo de alguna forma también le seguí el juego y le hice la corte y la dejé hacer todo lo que deseó y hasta cambiar por completo mi casa y mis cosas y ahora ya casi nunca me pongo saco porque ella dice que no le gusta y saqué de nuevo todos esos suéteres que usaba los fines de semana para descansar y voy al trabajo y no puedo concentrarme en lo que estoy haciendo ¡demonios, cuánta monotonía! y los días que pasan y pasan y no se detienen y la vida que va haciendo lo que se le da la gana con uno y con sus cosas y sus mismos deseos, por lo que yo no sé ya qué demonios puedo hacer para empezar a sentirme bien ahora que no me atrevo a hablar con Mónica, ahora que no puedo pedirle que se marche así nomás y que tampoco sé si no la necesito y la amo y después voy a estar como ese primer día en que Mónica se fue sin avisar y yo buscándola por toda la ciudad, sin saber quién era realmente o dónde estaba y si podía trabajar de algo que no fuera haciendo el amor con desconocidos trasnochados que se encuentra en una fiesta y ahora la necesito, no puedo desprenderme de ella y de lo que representa para mí, porque ese orden cambió y esas cosas que deshizo ya están así y forman parte de lo que yo mismo soy. Ese cuadro enfrente que yo tenía en la sala es Mónica, pero también soy yo que la dejé clavarlo ahí, donde no me gustaba y ahora me parece que se ve bien y yo lo acepto como acepto a esta mujer que duerme a mi lado y ronca ligeramente, mientras yo también intento dormir y dejar de pensar en todas estas cosas y sólo vivir los días que siguen, al fin qué."

"Y ahora es cierto, pienso en ti, te busco y no te encuentro. Sé que estás en algún lado y no me importa si piensas o no en mí", escribe Andrés al tiempo en que se detiene la grabadora con Borodin y él se pasa la mano por el pelo. "Soy un hombre que desea a una mujer imposible y que más bien intenta liberarse de ella y dejar de recordarla." La noche es inmensa, pero él ya atravesó una buena parte de ella. No puede más. No es el cansancio de trabajar, sino de alborotar recuerdos así como así. Está despeinado, ojeroso. Bebe un poco de whisky, pero tiene un sabor amargo en la boca que le impide disfrutarlo. Se levanta y da vueltas, como si estuviera preso en ese cuarto, como si no pudiera salir y librarse ya de una vez de todo esto. Al fin se desabrocha los zapatos y se acuesta. Aunque no puede dormir, empieza a descansar oyendo la sangre que corre por sus venas y sintiéndola hinchada en sus sienes. Se aprieta los párpados con fuerza y todo se oscurece para luego llenarse de manchitas de colores y después volver a ser sólo eso: un oscuro interminable.

10

Oh danza del amor que acaba destrozando esperanzas, que termina sin compás, sin ritmo, sin ilusiones. Oh infinitos y repetidos los amantes idiotizados bailando de nueva cuenta su propia muerte, programada desde el principio. "Estoy solo. Hay una mujer en el mundo a la que amé. Ella no sabe siquiera esto último, aunque tal vez lo intuya. Es de noche. Siempre escribo así, cuando ya he rendido mi tributo al día cargado de trabajo. Me encierro a deshacerme por dentro pensando que puedo recuperar el placer, como si éste no fuera fugaz, momentáneo, etéreo. El placer es instantáneo, único, irrepetible. Pero aun esta certeza no te devuelve la de la ilusión y la esperanza, y es inevitable caer en el vacío." Andrés escribe un rato más, cree decirlo todo. Luego se levanta tomando el vaso y sorbiendo el licor. Afuera la ciudad se empeña en hacerle ver que sí hay exterior, que no todo es ese cuarto estúpido donde no tiene nada. Va a la grabadora y su cinta toca Wagner y el *Lohengrin*. No hay Tristán ni Isolda, porque la vida no es trágica sino cómica, se dice, y la música lo encierra aún más en esa habitación. Los ruidos de la ciudad afuera empiezan a desvanecerse. Regresa a su máquina y entonces intenta hacerle decir lo que no puede. Los dedos bailan en una música ya tantas veces tocada, repetida, monótona y asfixiante. Él se detiene, repasa la idea en la cabeza, la medita, le da vueltas y al fin se decide a colocarla en el papel: "Sólo un idiota no se enteraría de que te necesito, Mónica. Ven". Luego no se atreve a nada más. Espera. No llega nada aún.

Espera.

Era la mañana y amanecieron de mejor humor, hasta jugando. Cuando Andrés despertó Mónica ya tenía una bandeja con el desayuno que había preparado y ambos lo tomaron, oyendo la *Toma 5* de Dave Brubeck. Amanecía y todo era espléndido. Las caderas de ella desapareciendo en su diminuta cintura, sus pechos ágiles y delgados, su cuello, los hombros emergiendo como una esperada constelación. Luego los ojos —siempre los ojos, los ojos, piensa Andrés— que desaparecían al seguir subiendo la mirada en las cejas perfectas, redondas, negrísimas, delgadas. Y el pelo cayendo como una cascada sobre los hombros, ocultándole un lado de la cara, haciéndola misteriosa, huidiza, arrogante. Todo era espléndido, pensó Mónica, sus pechos con aquellos pocos vellos, los brazos fuertes, los hombros delgados y la boca —siempre la boca, la boca, pensó Mónica— emergiendo húmeda y perdiéndose en los ojos y la frente amplia, y el cabello delgado. Todo era espléndido y él regó el café en la sábana y ella la llenó de migajas de pan y luego, mojada y molesta, les hacía reírse y acariciarse y otra vez reírse como si no pasara nada. Él cambió las sábanas y se acostaron de nuevo. Desnudos y jóvenes. Recién amados. Nada parecía pasarles. Todo los reconfortaba. Andrés pensó que la vida le estaba dando una cachetada por comportarse así con Mónica y que la verdad de las cosas nunca podría odiarla y ella también pensaba que había estado muy fría, pero que amaba demasiado a Andrés, y ninguno se atrevió a decírselo al otro mientras uno junto al otro se iban quedando solos.

A las nueve y media él le dijo que tenía que irse al trabajo y ella lo ayudó a vestirse. Al anudarle la corbata sintió un deseo imposible de contener y ahora lo ayudó a desvestirse casi rasgándole la ropa y subiéndose sobre él, que la sentía rotar ahí parada en su cintura y además de penetrarla tomaba fuerza para poder sostenerla encima. Cuando no pudo más se salió de ella y la volteó, separando sus nalgas, ya en la cama, y con un solo movimiento le introdujo el pene haciéndola gritar y doblar la espalda pidiéndole más y diciéndole que se lo hiciera sí, así, en ese momento. Ella lo fue moviendo con cuidado y quedaron de lado, penetrándose y

amándose mientras ella tenía su tercer orgasmo y seguía implorándole y Andrés se
miraba a sí mismo amando a una mujer y
sintiendo su cuerpo —suave y hermoso— en
el suyo. Al fin, después de un violento final
que los hizo estremecerse, Andrés sacó el
pene y la empapó de semen que salía como
una fuente chorreante, llenando el cuerpo
de su amada que todavía temblaba en un
orgasmo agudo e interminable como el dolor más intenso. Luego, como dos gatos se
lamieron sus líquidos, tragándoselos y que-
riéndose y ella le dijo que lo quería y él tuvo
que decirle que también la quería y luego
ella dijo que prepararía el baño para que
pudiera irse a trabajar, asustada con esas dos
últimas frases.

El hombre escribe, lo que equivale a decir que el hombre miente. Como la paradoja
de Epiménides, diciendo: *Todos los escritores
son mentirosos*, algo así como *escribo mintiendo que miento*. Andrés lo sabe, se conoce
fugaz y sumamente inútil. La noche cae,
pesada, amarga.

"¿De qué mal padezco que no puedo liberarme de ti? ¿Por qué no es posible deshacerse ya, al fin, de todo esto? Quisiera desvanecerme y perderme en algún lugar lejano donde yo mismo no tenga memoria y pueda empezar de cero. Es lo malo del psicoanálisis; uno mismo no puede liberarse de echarle la culpa de todo al pasado. No estás, eso es lo peor."

Se bañan juntos y Mónica lo enjabona, lo talla, le lava el pelo, juega con su pene, se ríe. Cantan bajo el agua que los empuja el uno al otro. Él también la ayuda a bañarse. Se secan mutuamente, también riendo. Él se viste y ella se arregla, se maquilla, le pone delineador a sus párpados, un poco de sombra. Él se anuda la corbata y ella se pone unas medias claras y unos zapatos altos. Él se decide por un saco azul marino y ella se coloca un vestido rayado color fucsia. Él intenta quedar mejor con un poco de colonia y ella se perfuma. "¿Adónde vas?", le pregunta Andrés. "No me quiero quedar sola, voy por ahí, donde sea, no importa." "¿Te llevo y te dejo en algún lado?", insiste. "No, voy a salir después. Vete tranquilo y nos vemos en la noche." "¿No vas a venir a comer?" "No creo", le contesta, "quiero salir, despejarme". Está guapísima. Andrés lo sabe. "Está bien, nos vemos en la noche." Le da un beso en la mejilla. No quiere admitir que está celoso y sale rumbo al consultorio, va enfurecido, golpeando el parabrisas, por qué no le dice lo que quiere hacer, por qué no lo deja acompañarla. Llega de mal humor y apenas saluda. Siente celos, no puede pensar que alguien va a compartir a Mónica con él. Se sabe tonto y se ve infantil, pero no puede contenerse. Mónica en casa espera quince minutos a que se aleje Andrés y se desviste, se limpia la cara de todo el maquillaje, se pone una bata y limpia la casa. Arregla las cosas. Todo estuvo planeado. Se estaba pasando de listo aquel hombrecito con el que vivía. A la una y media sonó el teléfono, supo que era él y no contestó. Como esperaba, tampoco vino a comer. Ella podría haber ido a algún lado, con quien quisiera, además. Ése es el problema, a Andrés le da celos algo que ella no haría, que no tiene ganas de hacer aunque sabe que puede, que estaría haciendo el amor con quien quisiera ahora mismo. ¡Qué estúpidos son los hombres!

Andrés llegó a las seis y media, cansado y de mal humor. Ya está en casa, pensó al ver la luz de la recámara, mientras ella fingía estarse desvistiendo y desmaquillando, y la sorprendió llegando casi igual que él.

"¿Dónde estuviste?", le preguntó. "Por ahí." "Vine a comer como a las dos", dice Andrés mintiendo, "pensaba encontrarte". "Pues ya ves que tenía ganas de divertirme. Estoy muerta, quiero cenar y dormirme." "Mónica, te quiero." Ella bajó a cenar porque Andrés acababa de tomar algo en el hospital. ¡Qué estúpidos son los hombres!, volvió a pensar cuando en la cocina recordaba el último te quiero de Andrés, pensando él que había triunfado al demostrar su comprensión y abnegación al venir a comer. "Mentiroso además", se rió Mónica. No lo dejó tocarla. Se durmieron temprano. Ambos estaban exhaustos de actuar su propia obra. Fueron máscaras y la noche los recibió.

Ahora Andrés escribe. "Ese día en que me dejaste solo me moría de celos, solamente me sentí bien cuando supe que te remordía la conciencia haberme dejado comer solo en casa." Luego, también cansado, se acuesta a dormir.

11

No siendo estás aquí junto a mi centro
de hierros desatados,
de distancias dispersas como el humo.

No siendo eres tan mía como yo.
Más mía, pues tu luz sobre mi niebla
vive
JUAN EDUARDO CIRLOT

Es lícito imaginar a Andrés, en la onceava noche de su desasosiego. Está sentado frente a su mesa, como siempre, bebe un trago, digamos whisky, para no variar; escucha música, ahora es Marin Marais, son piezas para viola, un instrumento que le parece especialmente sensual, que le recuerda cierta tarde, algún olor, también, por qué no. Escribe: mete una hoja, piensa un poco lo que va a poner allí, sobre la página blanca, pero antes de teclear ya lo asalta la más terrible realidad: está

solo, ha sido derrotado, la memoria no le
sirve, Mónica no está a su lado, no estará
más, nunca. Lo demás es silencio, incluso
estupidez, piensa, porque las palabras no le
han servido para nada, no han logrado traer,
siquiera, una imagen nítida de la mujer, de
los pocos días y sus noches que ¿compartie-
ron? en el departamento de Andrés, ojos
grises, tristes, no muy grandes, más bien
hundidos, ocultos siempre por las gafas, se
dirían inmóviles, o impávidos, como si hubieran visto ya de qué materia están hechas
las cosas.

No hay nada fuera, y tampoco importa,
porque ha sido más terrible, para él, consta-
tar que tampoco hay nada adentro: la mesa,
la máquina, dos tantos de hojas: una pila
blanca, más abultada, y otra ya herida por
las letras, pequeña, que se ha ido acumulando debajo de un pisapapeles de vidrio,
una roca informe que le regaló su maestro
el día de su graduación. Ah, y el vaso de
whisky, la silla, el retrato de Bataille,
encorbatado, puesto con chinchetas en la

pared de yeso, blanca. Una ventana y una puerta por la que nada entra ni sale, ni su sombra; ¿dónde ha quedado su sombra?, se pregunta Andrés y entonces recuerda la última tarde con Mónica, y piensa, con cierta ilusión, que la memoria es cierta.

Regresó de una cita con un amigo al que atendió como paciente hace años, una reunión casi terapéutica, en la que el conocido, realmente, se limitó a narrarle con precisión quirúrgica su separación matrimonial, tema que le incomodaba a Andrés por diversos motivos, el más evidente sentirse en el estado de ánimo contrario, en el lugar de la antípoda en la balanza: era feliz, si por felicidad podía recontar el tiempo con Mónica, su carácter de vendaval y de aventura, y estaba acompañado, satisfecho. Al llegar a casa lo primero que hizo fue gritar su nombre, quería verla, hacerle el amor, reencontrarse con la mujer. Nadie le contestó a los repetidos gritos, ningún cuerpo atendió a sus búsquedas, en la cocina, el jardín, el comedor; temió lo peor, se dijo que Mónica al

final lo había abandonado, que el orden natural de las cosas se había roto, como era de
esperarse, pero no tan pronto; era tal su certeza de hallarse solo de nuevo que en lugar
de buscar a Mónica comenzó a hurgar por
un recado, una nota, algo que justificara la
repentina huida, el desmantelamiento de
sus certezas que, al menos, esperaba paula-
tino, largo. Así son los vendavales, se dijo,
tienen mucho de estampida. Al llegar a su
cuarto contempló la cama deshecha, la ropa
de Mónica regada por el piso, desordenada,
como siempre, su olor inconfundible entre
las cosas, lo que lo reconfortó de golpe; allí
estaba, seguramente bañándose, pensó, y
volvió a gritar su nombre, a pedirle que sa-
liera a su encuentro: el baño, pudo compro-
barlo en seguida, se hallaba cerrado con llave, y Andrés escuchaba, del otro lado, un
grifo abierto, o al menos gotas escapando de
un grifo con regularidad, monotonía. Dijo
el nombre de Mónica como si conjurara un
fantasma: una y otra vez, sin respuesta; buscó la llave de la cerradura, inexistente por

toda la casa y, al final, con una serie de pata-
das logró abrirla: fue un golpe seco, el sonido de la puerta que se abre, un golpe que
aún resuena en su cabeza. "Pero fue un golpe aún más seco", escribe ahora Andrés, "la
imagen tuya, Mónica, atónita, en el río rojo
de tu cuerpo, allí, tendida, olvidada de todo,
aparentemente muerta. Fue lo que pensé,
de inmediato, que estabas muerta, que ha-
bías caído, que el golpe había acabado contigo y que tu sangre lo empapaba todo con
dolor". Pero eso es ahora, en el recuerdo, en
el presente, no en el momento en que Andrés dio la patada definitiva, la puerta se
abrió y pudo contemplar, rotundo, vencido
para siempre, se dijo, el cuerpo delgado de
Mónica cubierto de sangre, desnudo, allí,
indefenso.

Gritó su nombre, ahora no para buscarla, sino como la terrible comprobación de su
aniquilamiento; fue a ella, la abrazó, caliente aún, viva, la sintió agitarse, en un lugar muy hondo y muy oscuro al que no tenía acceso, la cargó, entonces, y la llevó, así,

lánguida y exangüe, a la cama, para comprobar el daño, para percatarse de la magnitud de su destrucción, ya confiado de que se hallaba aún viva, desangrándose: un arroyo de sangre era la estela de los dos cuerpos yendo hacia la cama como hacia la orilla, "¿de qué?", escribe ahora, "¿qué esperaba rescatar de Mónica, nunca mía, mientras la llevaba hacia la cama, ausente, sin conocimiento?"; no lo sabía Andrés, no lo sabe tampoco ahora que escribe, toma un trago, largo, de su whisky, se jala los cabellos, acomoda las gafas, palpa un objeto en el bolsillo de su pantalón, siente su frío.

Colocó el cuerpo sólo en apariencia sin vida de Mónica en la cama, fue por unas gasas, vendó las muñecas con pericia, volviendo a ser médico, dejando al fin de interpretar, no había allí nada que decir, sólo detener la hemorragia, pero los cortes eran finos, leves, y pronto cerrarían, estaba seguro, con el torniquete aplicado allí, en el sitio justo; le tomó la presión, había perdido sangre, pero era todo, nada, en realidad, que lamentar, al menos físicamente. Trajo unas cubetas y estuvo limpiando, con meticulosidad, el piso y el baño, mientras Mónica dormía ya, plácidamente, habiéndole aplicado una inyección de un muy ligero sedante: hasta allí era como una paciente más, después de una crisis, a la que había que devolver a la vida, a la ¿normalidad?, sólo eso, pero cuando terminó de asear se dio cuenta, en realidad, de la magnitud de la tragedia, de lo que había podido, allí, ocurrir, para haber desatado una decisión como la de Mónica. Al principio pensó qué era lo que había hecho o dejado de hacer *él*, "porque ante la tragedia de los otros", escribe ahora, tantos años después, "siempre somos nosotros, no ellos, los que importamos; hay algo de terriblemente egoísta en la reacción de duelo, y en su trabajo posterior: siempre perdemos algo de nosotros mismos, no del otro, el otro no existe", termina por escribir en la hoja y la saca, colocándola con ternura en la pila izquierda, vuelve a poner el pisapapeles encima. Y así era ya en ese momento: Andrés sentado en la orilla de la cama, llorando, preocupado por lo ocurrido, sin saber explicárselo de forma alguna. La verdad, se dijo, es que no conocía a Mónica, no tenía idea alguna de quién era: pocos pedazos de su pasado, insuficientes para un cuadro clínico, cierto conocimiento *epidérmico* de sus reacciones, intempestivas, a lo largo del breve lapso de su relación, solamente. Nada que le permitiera, he allí lo verdaderamente terrible, hacerse una idea de las causas, aunque el efecto, visible, era esa mujer sedada, allí en su cama, ese cuerpo que podía —allí, no ahora, desvanecida por el olvido— reconstruir en un bloque de hielo con la lengua. Nada más. Nunca hay nada más.

Un poema que leyeron juntos, al despertarse Mónica al día siguiente, se lo recuerda, el fracaso todo: "Fue un ánima ajena mía,/ traspasando su deseo;/quien en la rosa que veo/, vio la que no se veía". Él le sirvió un desayuno, frugal, y le pidió una hora para ir por un médico, amigo suyo. En el camino compraría, le dijo a Mónica, un suero y algunas medicinas para la convalecencia. "No me preguntes nada, Andrés, no intentes explicártelo, yo tampoco sé nada", le dijo, y fueron sus últimas palabras, al menos las últimas que Andrés escuchó de su boca: al regresar con el médico, Mónica se había ido, esta vez para siempre, con sólo algunas de sus cosas, las que cupieron en dos maletas. Nada más. No tenía nada más.

Y no hay regreso posible, ahora lo piensa. Al principio la buscó, incluso con cierto apremio, pero pronto se dio cuenta de que era inútil, algo —nunca ha sabido qué, por supuesto— se había descompuesto para siempre entre los dos. En los primeros días creyó que se podría acostumbrar a la pérdida, que era posible vivir una vida, la que fuera, sin Mónica, pero pronto se percató de que también ésa era una ilusión absurda: nada podría volver a su lugar, si alguna vez lo tuvo. Ha habido, desde entonces, un hueco, una oquedad que estas once noches han querido conjurar para siempre, sin éxito.

Porque es sabido que la separación de los amantes es un adelanto de la muerte en la vida, tan simple y tan terrible: Andrés ha muerto, no hay otra realidad, desde entonces: ha sido un fantasma intentando irse del todo, sin lograrlo. "En amor —a menos de no amar con amor— hay que resignarse a no ser amado", escribe ahora, para finalizar, Andrés, "el sentimiento amoroso es la imposibilidad de escapar de quien se nos escapa siempre: en el amor la presencia es una modalidad de la ausencia, el rostro amado no es de este mundo, aun cuando este mundo sea una prisión". Ha puesto eso allí, en la última hoja, ¿para qué? No lo sabe, y siente ya la inutilidad, la insuficiencia del acto.

Termina el vaso de whisky, se levanta, mira por la ventana, pero no observa nada allá afuera, su contemplación es interior, introspectiva, nada hay que no sea él en ese cuarto. Andrés llega, tambaleándose, a la silla, lleva la mano al bolsillo, extrae la pistola, quita el seguro, apunta, cierra los ojos, dispara. Un estallido rompe el silencio,

quiebra la pared en mil pedazos: yeso, ladrillo, pintura, caen en el suelo como si allí
hubiese habido un temblor, no una detona-
ción. Lo que hasta hace poco era la foto de
Bataille en la pared detenida con chinchetas
es un boquete, un agujero, nada más: los
restos del retrato se confunden con los es-
combros del revocado y el ladrillo del muro.

Andrés está allí, sentado, con el brazo
ahora colgante, todavía con la pistola caliente, con humo: ni siquiera ha tenido el
valor de hacerse daño. La única salida heroica en medio de la constatación de su tri-
ple fracaso: Mónica, para siempre incom-
pleta en el recuerdo, inexistente, incluso; la
escritura de ese texto, acumulado, inútil, se
diría que tampoco real; su vida, también,
vacía, como la grabadora que ha dejado de
sonar, también, dejando en su lugar el peso
enorme del silencio como única compañía:
nada se mueve allí, en ese cuarto casi vacío
en el que un hombre, pongamos Andrés, ha
intentado vanamente recuperar a una mujer: Mónica, digamos.

PEDRO ÁNGEL PALOU

Todas las noches ha sido igual. Él sentado a escribir, actividad que se prolonga hasta muy tarde. Nada queda al amanecer.
Todo permanece al ocultarse el sol. Monótono y al parecer irremediable, el tiempo
pasa sin detenerse. Tal vez es ahí —¿si no
cuándo o cómo?— donde comienza la historia.

Índice

A
Una temporada en el purgatorio

B
El fracaso de los cuerpos

Esta edición de 4.000 ejemplares
se terminó de imprimir en
Kalifón S.A.,
Humboldt 66, Ramos Mejía, Buenos Aires,
en el mes de abril de 2003.